Polyglott-Reiseführer

Thailand
D

Polyglott Verlag München

Langenscheidt Mini-Dolmetscher

Da Thai in verschiedenen Tonhöhen gesprochen wird, kann ein und dasselbe Wort verschiedene Bedeutungen haben. Das macht Thai für Ausländer schwierig. Dennoch: Versuchen Sie sich zumindest an den wichtigsten Begriffen. Im allgemeinen werden Sie aber mit Englisch gut zurechtkommen.

Die wichtigsten Begriffe in Thai

Guten Tag, Auf Wiedersehen	Sawa**dih** kah (sagen Frauen), sawa**dih** kap (sagen Männer)
Entschuldigung	kor **tod**
Das macht nichts	**mai** pen rai
Viel Glück!	tschok **dih!**
Spaß haben	san**uk**
Kein Problem	mai mih pan **hah**
danke	kop kuhn **kah** (sagen Frauen), kop kuhn **kap** (sagen Männer)
ja	tschai
nein	mai tschai
wann	müa**rai**
wo	tie**nai**
Tempel	wat
Museum	pipi**tah**pan
Strand	**tschai** haht
Polizei	tam**ru**at
Krankenhaus	rong pah jah **bahn**
Arzt	mor
Unfall	ubatie**het**
Diebstahl	**ka**moi
Hilfe	**tschu**ai **du**ai
Restaurant	lahn a**hahn**
(nicht) scharf	(mai) pet
Bus(bahnhof)	(sata**nih**) rot mih
Bahn(hof)	(sata**nih**) rot **fai**
Taxi	**te**ksi
Ausländer	**fa**rang
Toilette	hong **nahm**
ich möchte	kor
wieviel (kostet es)?	tau **rai?**
(zu) teuer	**päng** bai
eins	nüng
zwei	sohng
drei	sahm
vier	sih
fünf	hah
sechs	hog
sieben	dschet
acht	pät
neun	gao
zehn	sip
elf	sip et
zwölf	sip sohng
zwanzig	je sip (oder: jip)
21	je sip et (oder: jip et)
30	sahm sip
40	sie sip
100	nüng roy
200	sohng roy
1000	nüng pan

Das Wichtigste in Englisch

Allgemeines

Ich heiße ...	My name is ... [mai **nehm**‿is]
Morgen	morning [**moh**ning]
Nachmittag	afternoon [after**nuhn**]
Abend	evening [**ihw**ning]
Nacht	night [nait]
morgen	tomorrow [tu**morr**oh]
heute	today [tu**deh**]
gestern	yesterday [**jes**terdeh]
Wie bitte?	Pardon? [**pah**dn]
Ich verstehe nicht.	I don't understand. [ai **dohnt** ander**ständ**]
was / wer / welcher	what / who / which [wott / huh / witsch]
Warum?	why [wai]
Wie heißt das?	What is this called? [**wott‿is** ðiß **kohld**]
Wo ist ...?	Where is ...? [**wäə**‿is ...]
Können Sie mir helfen?	Can you help me? [kän‿ju **hälp**‿mi]

Sightseeing

Gibt es hier eine Touristen-information?	Is there a tourist information? [is‿ðər‿ə **tuə**rist infəmehschn]
Haben Sie einen Stadtplan ?	Do you have a city map? [du‿ju häw‿ə **ß**iti mäpp]
Welche Sehenswürdigkeiten gibt es hier?	What are the local sights? [**wott**‿ə ðə **loh**kl **ßaits**]
Wann ist ... geöffnet?	When are the opening hours of ...? [**wänn**‿ah ði **ohp**ning auers əw ...]

Shopping

Wo gibt es ...?	Where can I find ...? [**wäə** kən‿ai **faind** ...]
Wieviel kostet das?	How much is this? [**hau**‿matsch **is**‿ðiß]
Das ist zu teuer.	This is too expensive. [ðiß‿is **tuh** iks**pänn**ßiw]

Das gefällt mir (nicht).	I like it. / I don't like it. [ai **laik**‿it / ai **dohnt** **laik**‿it]
Gibt es das in einer anderen Farbe / Größe?	Do you have this in a different colour / size? [du‿ju **häw**‿ðiß in‿ə **diff**rənt **kall**er / **ßais**]
Geben Sie mir 1 kg Bananen	Could I have a kilogram of bananas. [kud‿ai häw‿ə **kill**əgrämm‿əw bə**na**nas]
Wo kann ich telefonieren / eine Telefonkarte kaufen?	Where can I make a phone call / buy a phone card? [**wäə** kən‿ai mehk‿ə **fohn**‿kohl / bai‿ə **fohn**‿kahd]

Notfälle

Ich brauche einen Arzt / Zahnarzt.	I need a doctor / a dentist. [ai **nihd**‿ə **dock**ter / ə **dänn**tist]
Rufen Sie bitte einen Krankenwagen / die Polizei.	Please call an ambulance / the police. [**plihs** kohl ən‿**ämm**bjuləns / ðə pə**lihs**]
Wir hatten einen Unfall.	We've had an accident. [wihw **häd** ən‿**äck**ßidənt]
Wo ist das nächste Polizeirevier?	Where is the nearest police station? [**wäər**‿is ðə **niə**rəst pə**lihs** stehschn]
Ich bin bestohlen worden.	I have been robbed. [ai həw bihn **robbd**]

Essen und Trinken

Die Speisekarte, bitte.	The menu please. [ðə **männ**ju plihs]
Brot	bread [bräd]
Kaffee	coffee [**koffi**]
Tee	tea [tih]
mit Milch / Zucker	with milk / sugar [wið‿**milk** / **schugg**er]
Orangensaft	orange juice [**orr**ənd~~sch~~‿d~~sch~~uhs]
Mehr Kaffee, bitte.	Some more coffee please. [ßəm‿moh **koffi** plihs]
Suppe	soup [ßuhp]
Fisch / Meeresfrüchte	fish / seafood [fisch / **ßih**fud]
Fleisch / Geflügel	meat / poultry [miht / **pohl**tri]
Beilage	sidedish [**ßaid**disch]
Reis	rice [reiß]
Gemüse	vegetable [wädschtəbl]
vegetarische Gerichte	vegetarian food [wäd~~sch~~ə**tä**riən fud]
Eier	eggs [ägs]
Salat	salad [**ßäl**əd]
Dessert	dessert [di**söht**]
Obst	fruit [fruht]
Speiseeis	ice cream [aiß **krihm**]
Bier	beer [**bi**ə]
Mineralwasser	mineral water [**minn**rəl wohter]
mit / ohne Kohlensäure	sparkling / still [**spahk**ling / still]
Limonade	lemonade [lämmə**nehd**]
Frühstück	breakfast [**bräck**fəst]
Mittagessen	lunch [lanntsch]
Abendessen	dinner [**dinn**er]
ein Imbiss	a snack [ə‿**ßnäck**]
Ich möchte bezahlen.	I would like to pay. [ai‿wud **laik**‿tə **peh**]
Es war sehr gut / nicht so gut.	It was very good / not so good. [it‿wəs **wärri** **gud** / **nott**‿ßoh **gud**]

Im Hotel

Ich suche ein gutes / nicht zu teures Hotel.	I am looking for a good / not too expensive hotel. [aim **luck**ing fər‿ə **gud** / **nott** tu ick**spänn**ßiw hoh**täll**]
Ich habe ein Zimmer reserviert.	I have booked a room. [ai həw **buckt** ə **ruhm**]
Ich suche ein Zimmer für ... Personen.	I am looking for a room for ... persons. [aim **luck**ing fər‿ə **ruhm** fə ... **pöh**ßns]
Mit Dusche und Toilette.	With shower and toilet. [wið **schau**ər‿ənd **toi**lət]
Mit Balkon / Blick aufs Meer.	With a balcony / overlooking the sea. [wið‿ə **bälk**əni / **oh**werlucking ðə **ßih**]
Wieviel kostet das Zimmer pro Nacht?	How much is the room per night? [**hau**‿matsch is ðə ruhm pə‿**nait**]
Mit Frühstück?	Including breakfast? [in**kluh**ding **bräck**fəst]
Kann ich das Zimmer sehen?	Can I see the room? [kən‿ai **ßih** ðə ruhm]
Haben Sie ein anderes Zimmer?	Do you have another room? [du‿ju **häw** ə**naðer** ruhm]
Das Zimmer gefällt mir (nicht).	I like the room. / I don't like the room. [ai **laick** ðə ruhm / ai **dohnt** **laick** ðə ruhm]
Kann ich mit Kreditkarte bezahlen?	Do you accept credit cards? [du‿ju əck**ßäppt** **krä**dit‿kahds]
Können Sie das Gepäck in mein Zimmer bringen?	Could you bring the luggage to my room? [kud‿ju **bring** ðə **lagg**idsch tə‿mai **ruhm**]

Allgemeines

Städtebeschreibungenen

Reiserouten

Route 1

Route 2

Reiserouten

Bildnachweis

Alle Fotos Nicole Häusler außer Archiv für Kunst und Geschichte, Berlin: 19/3; Markus Kirchgeßner: 45/2-3, 49/1, 69/2, 77/3, 87/1-2; Laif/Gernot Huber: Umschlag hinten (1); Sabine von Loeffelholz: 29/2, 47/1, 71/1+3; Erhard Pansegrau: 17, 21/1, 25/2, 27/1, 27/3, 35, 45/1, 53/3, 57/1+3, 65/2, 81/2; Kurt Peter: 1, 6, 11/2-3, 23/1-2, 31/1, 33/2, 49/3, 65/3, 67/1, 69/1, 73/3, 75/3, 77/1; Martin H. Petrich: 25/1, 61/1; Gudrun Rücker: 7/1, 13/1, 15/1, 19/1, 21/3, 27/2, 29/3, 39/1, 43/1, 49/2, 53/2, 59/1, 69/3, 77/2; Südostasien Bildarchiv/Renate Loose: 7/2, 11/1, 37/1, 41/1, 53/1, 57/2, 61/3, 65/1, 67/2, 81/1+3; Martin Thomas: Umschlag hinten (2); Pictor International: Umschlag (Bild); Superbild/Bernd Ducke: Umschlag (Flagge).

Editorial

Sie tauchen in eine exotische Welt, gewoben aus dem goldenen Rauch abendlicher Herdfeuer und silberner Morgennebel, die nach dem Blick für das Detail, nach dem Sinn für den Zauber des Augenblickes verlangt. So großartig die Tempel des Nordens auch schillern, so umwerfend die fantastisch gekleideten Minoritäten der Bergvölker auf den westlichen Betrachter wirken, so majestätisch die Elefanten sich unterm glasklaren Wasserfall wiegen, so scheu und verletzlich können sich die edelsten Kreaturen des Nordens verschreckt im nächsten Augenblick scheinbar im Nichts auflösen, so flüchtig und unberechenbar bricht die Sonne durch treibende Schwaden, hüllt endlose Bergketten für Sekunden in magisches Licht – und plötzlich ist alles verschwunden. Dann ist der Norden Thailands wieder zu seinem Alltag zurückgekehrt, Mopeds, Beton, eine moderne Welt, in der an jeder Straßenecke eine kleine Attraktion protzt, eine Welt, die uns durch ihre quirligen, tumulthaften Märkte zu wahllosen Kaufräuschen hinreißen möchte. Grelle, bunte, verführerische, aber käufliche Fassade einer tieferen, wohl gehüteten Schönheit.

Anders als die Strände des Südens, die ihre Reize ausbreiten, kaum dass man dem Flugzeug entsteigt, verlangen die Bergketten des Goldenen Dreiecks nach Initiative und entfalten ihr Stimmungskaleidoskop kokett nur nach eigenem Belieben. Dem Reisenden bleibt damit die Wahl zwischen behütetem Komfort mit kalkulierbaren Sensationen oder dem echten Abenteuer mit echten Entbehrungen, an deren Ende freilich Einblicke in eine vergehende, verlöschende Welt stehen, die Asiens gesamte Magie einfangen, wie kein Baderesort dies vermöchte.

Der Autor

Rainer Scholz behauptet, die mandelförmigen Augen der Asiaten hätten ihn bereits in seiner Kindheit fasziniert.
Als freier Journalist, Fotograf, Kameramann, Reiseführer und Dolmetscher für Thai ist er seit vielen Jahren dem Geheimnis dieser Faszination auf der Spur.

Die Stirn des Elefanten

Lage und Landschaft

Die südlichsten Ausläufer des Himalaya erstrecken sich zwischen zwei mächtigen Strömen: dem **Salween** im Westen und dem **Mekhong** im Osten. Sie begrenzen ein ungefähres Quadrat, das jeweils halbkreisförmig im Westen von Birma und im Osten von Laos umschlossen wird. Von den Thais kurz *Phak Neua*, „der Norden", genannt, ist es durch eine Reihe nach Süden hin langsam abfallender Gebirgszüge gekennzeichnet, deren höchsten Gipfel mit 2595 m **Doi Inthanon** bildet. Die dicht bewachsenen Hänge sind meist steil, von zahllosen kleinen Wasserläufen zerfurcht, die sich schließlich zu Thailands Lebensader, dem **Chao Phraya**, zusammenfinden.

Klima und Reisezeit

Nordthailand verfügt über ein ausgeprägtes, subtropisches Monsunklima, das durch drei deutlich unterschiedliche Jahreszeiten geprägt ist.

Hochsaison

Im Winter (Nov.–Feb.), wenn trockene, warme Tage mit Temperaturen bis 30 °C von lauen, windigen Nächten in den Tälern sowie neblig kühlen bis eisig kalten in höheren Lagen abgewechselt werden, ziehen aufgrund der Nachfrage die Preise kräftig an, und man kann vielerorts mit ausgeprägten Morgennebeln rechnen, durch die manchmal erst gegen Mittag der erste Sonnenstrahl dringt. Viele Bäume färben ihr Laub in herrlichen Herbsttönen.

Man kann die Region zu allen drei Jahreszeiten bereisen, wird jedoch unterschiedliche Schwerpunkte setzen müssen und jeweils ein völlig eigenständiges „Stimmungsbild" erleben, welches sich nicht nur auf die Landschaft, sondern auch auf das soziale Gepräge erstreckt.

Heiße Jahreszeit

Zwischen März und Juni fällt oft wochenlang kein Tropfen Regen. Die Temperaturen steigen in manchen Tälern auf über 40 °C und selbst nachts fällt die Quecksilbersäule in den Bergen bisweilen nur bis knapp unter 30 °C. Die Landschaft verbrennt auf weiten Strecken zu einem intensiven Rotbraun. Ideale Zeit für echte Abenteuernaturen: Brandrodung lässt nachts ganze Berge weithin lodern, das Motorrad zieht auf einsamen Pisten turmhohe Staubfahnen hinter sich her, die Bergstämme finden mangels Beschäftigung Zeit, sich mit exotischen Fremdlingen abzugeben.

Regenzeit

Zwischen Juli und Oktober liegen die Temperaturen wieder etwas niedriger, die Regenfälle sind schwer, aber unregelmäßig und hinterlassen besonders klare Luft mit den besten Sichtverhältnissen. Eine Zeit für Träumer und Faulenzer: Es gibt kaum Touristen, der Transport kann schwierig werden, und die Preise sind im Keller. Die Bergstämme und Talbauern quälen sich auf den Feldern ab und sinken abends erschöpft ins Bett, die Mönche müssen im Kloster bleiben. In den Ortschaften ist es ruhig, und nichts ist schöner, als irgendwo in den Bergen unterm Blätterdach in der Hängematte zu schwingen und dem Reis beim Wachsen zu lauschen.

Bevölkerung

Die Menschen Thailands sind zu etwa 75 % ethnische Thais, rund 25 % gehören zu Minoritäten, wobei der

Löwenanteil unter den Minderheiten auf 4 % malaiische Muslime an der Südgrenze sowie 11 % Chinesen in den Großstädten entfällt. Der Wert ist ungenau, weil Thais und Chinesen so zahlreich Mischverhältnisse eingegangen sind, dass eine eindeutige Zuordnung schwierig ist. Dies gilt v. a. für Nordthailand, wo der Prozentsatz von Thais gewiss niedriger ist. Als „echten" Thai würde man im Norden vornehmlich den **Khon Meuang** ansehen, den alteingesessenen und auf seine Herkunft stolzen Einwohner von Chiang Mai, oder einer der kleineren Städte, die vormals Bestandteil der Königreiche Lanna oder Sukhothai waren.

Die Shan, die Lao und die Mon

Sprachlich wie kulturell existieren erhebliche Parallelen zwischen den Khon Meuang aus Chiang Mai und den **Shan.** Als Kulturvolk der Region zweifellos älter als die Thais und wie diese Reis anbauende Talbewohner, haben die Shan in ihrer langen Geschichte inselartig Teile von Birma (Shan State), Laos, Nordvietnam und Yunnan besiedelt, wo sie heute eine eigene autonome Region (Sipsongpanna) bewohnen. Die Shan (thailändisch: Tai) verfügen über eine eigene Schrift und Sprache, stellen die Bevölkerungsmehrheit in Mae Hong Son und haben sich vielerorts mit den Khon Meuang verschmolzen. Ähnliches gilt für die **Lao** im Nordosten. Angereichert wird diese Melange durch Überreste einer noch älteren **Mon**-Minderheit aus der Gegend südlich von Chiang Mai (s. auch S. 79).

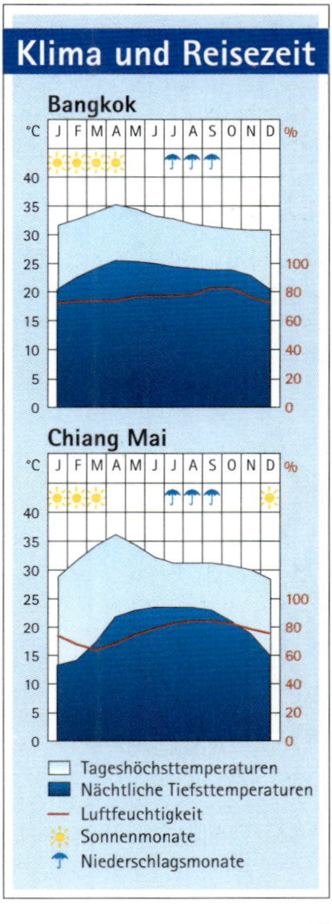

Die Karen

Die größte Gruppe (thailändisch: Kariang bzw. Yang) stammt ursprünglich vermutlich aus der Mongolei. Die Karen erreichten Thailand über Birma und siedeln ausschließlich entlang der Westgrenze, bevorzugt in niedrigeren Höhenlagen bis 800 m. Sie zählen zu den wenigen Stämmen, die tradionell auch im Ackerbau versiert sind, und halten als einziger der Stämme bis heute noch Elefanten. Karen haben starke matriarchalische Strukturen, Frauen sind bei ihnen sehr einflussreich. Sie besiedeln in Birma weite Regionen (Kayin State) und kämpfen dort auch mit militärischen Mitteln für Unabhängigkeit. Sie zerfallen in zwei größere Gruppen *(Sgaw* und *Pwo)* sowie verschiedene Untergruppen, die auch unterschiedliche Sprachen sprechen. Seit geraumer Zeit gibt es Konflikte zwischen buddhistischen und christlichen Karen, nur noch sehr wenige Stammesmitglieder folgen einem alten animistischen Stammeskult, in dessen Mittelpunkt das Elfenbein steht. Ihre Handwerkskunst erstreckt sich vor allem auf exquisite, typische Web- und Korbflechtarbeiten mit hohem Gebrauchswert.

Die Hmong

Die Hmong (thailändisch: Maeo) hatten ursprünglich ein eigenes Königreich in Südchina, wo sie heute noch autonome Regionen bewohnen. Einfluss- wie zahlreich sind sie vor allem in Laos, wo sie während des Vietnamkrieges auf amerikanischer Seite eine wichtige Rolle spielten. Man trifft sie heute im gesamten Norden Thailands, überwiegend jedoch nahe der laotischen Grenze. Hmong sind nicht nur gute Jäger und Opiumbauern, sondern auch geschickte Geschäftsleute. Distanziert, aber freundlich, gelten sie gleichzeitig als streitsüchtig und unbeugsam. Sie bevorzugen Höhenlagen über 1000 m, zeigen sich sehr flexibel bei der Standortwahl und sind bisweilen auch in Tälern beim Nassreisbau anzutreffen. Sie sind in patriarchalischen Klans organisiert und zerfallen in zwei sprachlich und kleidungsmäßig unterschiedliche Gruppen, die blauen und die schwarzen Hmong. Ihr Kunsthandwerk erstreckt sich vornehmlich auf sehr gute Silberschmiedearbeiten, Batik und Stickereien. Die meisten Hmong sind Buddhisten mit starkem animistischen Einschlag.

Bergstämme

Einige der Bergvölker sind entweder fast ausgestorben (Mlabri), assimiliert (Lua) oder fernab des Fremdenverkehrs beheimatet (Htin). Doch keiner der Bergstämme Thailands ist „primitiv“, auch wenn Ihnen das bei einer Bergwanderung mal so vorkommen mag: Alle haben in ihrer langen Geschichte Staatswesen, Kunstwerke, Politiker, Militärs oder Wissenschaftler hervorgebracht.

Die Mien

Ethnisch wie kulturgeschichtlich nahe mit den Hmong verwandt sind die Mien (thailändisch: Yao), die heute auch überwiegend in unmittelbarer Nachbarschaft zu den Hmong siedeln. Auffallend ist ein sehr starker chinesisch-taoistischer Einfluss – sie benutzen für kultische Handlungen chinesische Schriftzeichen. Die Stickereien der Mien sind denen der Hmong an Feinheit und Einfallsreichtum noch überlegen.

Die Lollo-Völker

Nahe miteinander verwandt sind auch die Stämme der Lahu, Lisu und Akha aus der Familie der Lollo-Völker. Alle drei wanderten gemeinsam von China über Birma nach Thailand ein und sind bis heute in China und Birma zahlenmäßig stärker vertreten.

Die **Lahu** (thailändisch: Muser) zerfallen in mehrere Gruppen und Untergruppen, die der Einfachheit halber meist als Rote, Schwarze und Gelbe Lahu klassifiziert werden. Einstmals berühmte Jäger, ging es mit ihrer Kultur seither ebenso bergab wie mit den Wäldern, auf denen sie beruhte. Gepriesen wurde auch die sexuelle Freizügigkeit ihrer Mädchen – Aids fordert unter den Lahu heute besonders zahlreich Opfer. Als Bewohner mittlerer Berglagen sind sie zwar gute Opiumbauern, neigen aber zum Eigenkonsum.

Die Lahu standen im Mittelpunkt christlicher Missionierungsbemühungen, die ihrer traditionellen Kultur nicht gut bekommen sind. Entsprechend schwierig ist es heute, auf thailändischem Boden noch herkömmlich farbenprächtig-raffiniert gekleidete Lahu mit traditionellen Lebensweisen zu treffen. In Birma stellen sie hingegen einen Teil der Drogenarmeen. Von dort stammende Verbände halten sich bisweilen in grenznahen Lahu-Dörfern Thailands auf, wo es zwar noch sehr konservativ, aber für Außenstehende auch nicht ganz ungefährlich zugeht. Das ganz allmählich verschwindende Kunsthandwerk der Lahu erstreckt sich vorwiegend auf Korbflechtarbeiten sowie die Herstellung von Waffen und Musikinstrumenten, in deren Handhabung sie Meister sind.

Blaue Hmong

Feuerstelle der Lahu

Eine Lisu

Die **Lisu** (thailändisch: Lisaw) treten in Thailand nur in einer Untergruppe auf und besiedeln höchste Berglagen. Als geschickte Geschäftsleute wie die Hmong haben sie eine Führungsposition in der Drogenwirtschaft. Einige der reichsten Familien Birmas sind Lisu, wo sie auch im Edelsteinhandel erfolgreich sind. Insgesamt ein lärmendes, fröhliches und kontaktfreudiges Volk, haben sie viele ihrer Traditionen erhalten. Ihre traditionellen Vollmondgesänge, nur noch sehr selten zu hören, bestehen aus herzzerreißend schönen, bizarren Dialogen zwischen Männer- und Frauenstimmen. Die Lisu erzeugen bis heute gute Silberarbeiten, die besten davon mit reicher Cloisonné-Technik.

Auf den höchsten Gipfeln trifft man auch die **Akha** (thailändsich: Ikaw). Vor allem ihrer pittoresken Frauentrachten

Steckbrief

Fläche: 169 644 km²
(Thailand gesamt: 513 115 km²)

Bevölkerung: 11 Mio.
(Thailand gesamt: 61 Mio.)

Höchster Berg: Doi Inthanon, 2595 m

Größte Stadt Thailands: Bangkok, 7 Mio. Einw.

Größte Stadt des Nordens: Chiang Mai, 250 000 Einw.

Feiern bis zum Umfallen

Bis auf die Karen feiern alle Stämme jährlich sehr aufwendige, tagelange Neujahrsfeiern, allerdings zu unterschiedlichen Terminen, die von Schamanen festgelegt und nicht nur von Stamm zu Stamm, sondern auch von Dorf zu Dorf variieren.

In dieser Zeit herrscht absoluter Burgfrieden, es darf nicht gestritten werden und Besucher sind stets willkommen, mithin eine ideale Gelegenheit für Trekkings in abgelegene Gebiete.

Im Mittelpunkt stehen spektakuläre und sonst nicht zu sehende Rituale: Schaukeln über Abgründen (Akha), erotische Ballspiele mit choreographischen Einlagen (Hmong), fulminante Rundtänze (Lisu), virtuose Flötenkonzerte (Lahu) sowie opulente Schamanenprozessionen (Mien).

wegen werden sie gerne besucht. Ansonsten allerdings bereiten sie fremden Besuchern oft nur wenig Freude. Die spirituelle Welt der Akha besteht aus einem höchst komplizierten Geflecht von Geistern und Ahnenbeschwörungen, das jedes Detail des Dorflebens beeinflusst und für Außenstehende nicht nachvollziehbar ist. In ihrem Konservatismus höchst verletzlich, wurde die Akha-Kultur durch die massive Veränderung der Lebensverhältnisse besonders nachhaltig geschädigt. Wenn sie auch weiterhin in traditionellen Häusern leben und ihre ursprünglichen Trachten pflegen, so zerfallen doch hinter dieser Fassade ihre sozialen Strukturen unaufhörlich. Drogensucht, Alkoholismus und Aids fordern furchtbare Tribute. Von ihrem einstmals reichen Kunsthandwerk sind heute nur noch wundervolle kleine Korbflechtarbeiten zu sehen. Aus chinesischem Glas hergestellte Perlenketten der Frauen sind zu kostbaren Sammlerobjekten geworden.

Religionen

Wenngleich sich unter den Bergstämmen des Nordens animistische Elemente weiter behaupten und viele der Chinesen Muslime, Konfuzianisten oder Taoisten sind, so herrscht doch in Thailands Norden insgesamt religiöse Konformität: Über 90 % sind Buddhisten, fast alle davon gehören der Theravada-Richtung an, der ältesten aller buddhistischen Schulen, die sich direkt auf die ursprüngliche Lehre Buddhas beruft.

Theravada

Allen Beiwerkes entkleidet, entpuppt sich das Theravada als knallharte Philosophie entsagungsfreudiger Individualisten. Im Mittelpunkt steht die Annahme, jedes Leben sei untrennbar mit Leid verknüpft (Alter, Krankheit, Tod), das durch jede Art von Lust oder Begierde (Hunger, Durst, Müdigkeit, Verlangen nach Liebe usw.) noch verstärkt würde. Denn jede Befriedigung ist vergänglich, der Hunger ebenso unaufhörlich wie die Sehnsucht nach Liebe. Das Ergebnis ist ein Kreislauf von Lust und Leid, dessen offensichtliche Manifestation die stete Wiedergeburt ist. Einziger Ausweg aus diesem Kreislauf ist völliges Loslassen von jeder Begierde, was zum *nirvana*, dem „Erlöschen“ führt.

Eine Reihe von Techniken, deren bekannteste die Meditation ist, soll all jenen beim vollständigen Loslassen helfen, die bereits über ausreichende Entsagungserkenntnis verfügen. Begreiflicherweise fällt die endgültige Trennung vom Selbst *(atta)* – das nach Theravada-Sicht eine schiere Illusion darstellt – ziemlich schwer, vor allem in einer modernen Leistungsgesellschaft, wie das heutige Thailand sie mehrheitlich anstrebt. Und so unterliegt der thailändische Buddhismus heute fortschreitender Spaltung. Während ein Teil die Rückkehr zum Kern der Lehre des Verzichts fordert, bevorzugen andere die eher formalen Aspekte und wollen vermehrt Tempel bauen, Mönche ordinieren usw. Aus letztgenannter Gruppe resultieren vermehrt Skandale um Ausschweifungen, Bodenspekulationen oder politische Intrigen, die Thailands religiöse Gemeinschaft mittlerweile erheblich belasten.

Ein Geisterhäuschen

Politik und Verwaltung

Seit einem Militärputsch 1932 ist Thailand konstitutionelle Monarchie mit einem Mehrparteiensystem, einem Parlament und einem Premierminister als Regierungschef. Freie, gleiche und geheime Wahlen, das Recht auf freie Meinungsäußerung, Versammlungsfreiheit, eine freie Presse, unabhängige Richter und andere verfassungsgemäße Rechte und Insitutionen schaffen einen

Klare Magie und fauler Zauber

Im Prinzip ist die Gemeinschaft thailändischer Mönche, der Sangkha, hierarchisch strukturiert, mit einem Patriarchen an der Spitze und dem König als oberstem Vertreter der Laienschaft. Doch das individualistische Prinzip des Theravada hat sich behauptet: Höchst unterschiedliche Lehrmeinungen wettstreiten miteinander. Die Äbte haben enorme Entscheidungsfreiheit, weshalb die religiöse Praxis von Tempel zu Tempel verschieden gehandhabt wird. Nur in Ausnahmefällen würde jemand wagen, in diese „Unordung" einzugreifen. Ein Teil des Regelkanons für Mönche gilt weiterhin als verbindlich: Sie dürfen nicht nach Mittag essen, keinen Alkohol trinken, müssen ihren Kopf scheren, ihre Gewänder tragen, zölibatär leben und dürfen auch von keiner Frau berührt werden. Es gilt als verdienstvoll, Mönch zu sein, und ebenso, an Mönche zu spenden. Ihr morgendlicher Rundgang zum Almosensammeln macht sie also keineswegs zu Bettlern. Doch kurz danach enden die Verbindlichkeiten, und zu vielen Problemen des Alltags gibt der Buddhismus schlichtweg keine Antwort.

Solchermaßen mit vielen Fragen im Stich gelassen, haben die Gläubigen seit jeher Zuflucht bei alten, vorbuddhistischen Göttern und Geistern gesucht. Derlei „unbuddhistischen" Relikte sehen Sie überall. Jedes Wohnung, jedes Gebäude, auch jede Bank wird mit einem Geisterhaus dem Ortsgeist Tribut zollen, auf magischen Märkten werden Amulette zu teilweise exorbitanten Preisen „vermietet" (denn wie könnte man Zauber kaufen?) und in traditionellen Kreisen begegnet man zahlreichen Trägern magischer Tatoos. Mit dem wachsenden Kapitalismus wurde die Produktion angeblich zauberkräftiger Artefakte und Dienstleistungen zu einer Multi-Millionen-Industrie mancher Mönche und Tempel, die mittlerweile auf ernsthaften Widerstand stößt. Tätowierte werden zum Beispiel nicht mehr in den Staatsdienst aufgenommen. Denn was der Mensch sehen oder anfassen kann, einschließlich jeder Buddhastatue, so wenden einige Wächter der reinen Lehre zutreffend ein, ist stets nur Tradition, nie aber Buddhismus. Den muss man durch Suche erkennen.

äußeren Rahmen, nach dem man das Land uneingeschränkt als Demokratie bezeichnen muss. Hinter den Kulissen allerdings hält ein Tauziehen mit einflussreichen militärischen Hardlinern an, das vermutlich noch lange nicht vorbei ist und Thailand während der verflossenen Dekaden mehrmals an den Rand des Zusammenbruchs trieb.

Thailand Ltd. & Co

Unter diesem Konflikt leidet vor allem die Landesverwaltung. Alle 76 Provinzen sind durch Parlamentarier in Bangkok vertreten, die sich sehr schwer tun, auf regionaler Ebene mehr selbstständige Entscheidungen zu gestatten. Als Ergebnis liegt ein undurchsichtiges Geflecht lokaler und überregionaler „Geschäftsbeziehungen" vor, in dem private Interessen regelmäßig über öffentliches Wohl und geschriebenes Gesetz triumphieren.

Den thailändischen Sumpf aus Korruption und Vetternwirtschaft trocken zu legen wird wohl viel Zeit, Energie und Menschenleben kosten. Schwerster Hemmschuh auf dem Wege zu mehr Sauberkeit in Regierung und öffentlichem Dienst ist die Neigung vieler, im Grunde sehr unpolitischer Thais, bei Wahlen ihre Stimme zu verkaufen. Damit steht zwielichtigen Elementen legal und demokratisch der Weg zur Macht frei, die später ihre Investition in Volkes Wille natürlich wieder mit guter Rendite zurückhaben wollen.

Wirtschaft

Nach weit reichenden Veränderungen während der 80er Jahre hat sich Thailand in den 90ern endgültig vom Status des Agrarlandes verabschiedet. Zwar arbeitet weiterhin über die Hälfte der Bevölkerung zumindest saisonal in der Landwirtschaft, doch der Reis, ehemals wichtigstes Exportgut, wurde seither von industriellen Fertig- und Halbfertigprodukten, z. B. für die Computer-, Unterhaltungselektronik- oder Autoindustrie, überholt.

Bis in den Norden sind diese Hightechbranchen allerdings kaum vorgedrungen. Neben der Landwirtschaft dominieren weiterhin kleinere Manufakturbetriebe, die zum Beispiel Konfektion herstellen. Größter Devisenbringer im Norden ist sehr wahrscheinlich der Tourismus. Die Drogenwirtschaft spielt zweifelsohne eine herausragende Rolle in der regionalen Ökonomie, doch ist der Weg ihrer Gelder noch schwerer nachvollziehbar als der ihrer Handlanger.

Natur und Umwelt

Auch wenn das grüne Panorama der Berge etwas anderes suggeriert: Bis auf ein oder zwei wohl versteckte Prozent der Landesfläche sind Thailands Dschungel in den Export gewandert oder zur landwirtschaftlichen Erschließung abgebrannt worden. Diesem deprimierenden Fazit gegenüber steht allerdings ein geschütztes Areal von etwa 12 % der Landesfläche, ein nach internationalen Maßstäben respektabler Wert. Das meiste davon ist so genannter Sekundärwald: Nach vorhergehenden Schädigungen nachgewachsen, enthält er weniger Tier- und Pflanzenarten, dafür aber viel mehr Unterholz. Im Gegensatz dazu erreicht im echten Dschungel kaum je ein Sonnenstrahl den Boden, der daher auch kein Unterholz oder Buschwerk, sondern nur ein weiches Polster modernder Blätter enthält, auf dem sich Großwild wohl fühlt.

Die Bestände an Tigern, Leoparden, Bären und anderem Großwild haben auch im subtropischen Sekundärwald Wilderer trotz Schutzbemühungen dermaßen dezimiert, dass in absehbarer Zeit mit ihrem Aussterben zu rechnen ist – einem Schicksal, dem das einheimische Nashorn bereits zum Opfer gefallen ist. Selbst Schlangen sind selten geworden, und die auf dem Nachtmarkt in Chiang Mai feilgebotenen Vogelspinnen entstammen der Zucht.

Wenn Ihnen allerdings der Sinn nach Urwald und Tigerfährte steht und Sie neben einem Führer auch Zeit und Ausdauer haben, weist Ihnen dieser Band als Abschluss der Routen 4 und 5 den Weg in Gebiete, die nur selten Menschenfuß betritt.

Ansonsten werden Sie mit dem vorlieb nehmen müssen, was das Auge erfreut, aber den schnöden Sinn nach Mammon noch nicht gekitzelt hat: bunte Schmetterlinge, ein exotischer Vogel hie und da, wuchtige Farne, blühender Rhododendron, meist zwischen gleichmäßig gesetzten Bäumen, wie der Mensch sie schuf ...

Reisanbau

Ende einer Epoche

Er war Stolz der Herrscher, hat Schlachten entschieden, den Entstehungsplatz heiliger Tempel ausgesucht, jahrhundertelang das Wirtschafts- und Transportwesen dominiert, den Maßstab für das Sozialprestige gesetzt, ist im Wappen verewigt – und nun vom Aussterben bedroht: der thailändische Elefant.

Als das dramatische Verschwinden der Wälder in den 80er Jahren einen sofortigen Einschlagstopp erzwang, hatte er offenbar endgültig seine Existenzberechtigung verloren. Tiere mit langen Stoßzähnen hatten zuvor bereits die Wilderer praktisch ausgerottet. Für den Arbeitseinsatz waren ohnehin die sanfter gestimmten Kühe gewünscht, mit den Waldschutzgesetzen ging es ihnen nun an den Kragen. Zu Hunderten wurden Elefanten getötet oder ausgesetzt und damit, an Menschen Obhut gewohnt, hilflos einem langsamen Tode geweiht: Aus dem Arbeitselefanten war ein arbeitsloser Elefant geworden, den der Halter nicht mehr zu ernähren vermochte, frisst er doch gut 100 kg Grünzeug am Tag. Also weg damit, es gibt ja noch genug in den Wäldern.

Neuere Forschungen jedoch zeigten, dass sich die Tiere dort wegen der menschlichen Zersiedlung ihres Lebensraumes gestresst fühlen und fortpflanzungsunlustig werden, während sich die von Menschen gehaltenen ohnehin noch nie als besonders fruchtbar zeigten. Unterdessen hatten findige Geschäftsleute längst den Touristen als Arbeitsplatz für die Restbestände ausgemacht. Selbst auf Inseln in der Andamensee tauchte der Dickhäuter plötzlich auf: einmal reiten 500 Baht, Bündel Bananen füttern 20 Baht. Doch schon bald häuften sich Fälle konkurrenzbedingter Elefantenvergiftungen.

Die namhaften Stellen des Landes streiten sich derweil erbittert, was zur Rettung des nationalen Symboles zu tun sei: Als Haustier – nichts anderes war es einmal – steht es nämlich nicht unter besonderem Schutz.

Besonders erklärungswürdig bleibt weiterhin, wie die Tourismusindustrie jährlich mit etwa 75 Babys aufwartet, wo doch in menschlicher Haltung nicht mehr als 25 geboren werden. Sollte Ihnen eines über den Weg laufen – wird es vermutlich, denn nichts hat der Tourist lieber, und der Veranstalter weiß das –, denken Sie an die Mütter, die irgendwo im Maschinengewehrfeuer zusammenbrechen, damit Sie die Kullertränen und Schreie des Nachwuchses unheimlich süß finden können.

Sitten und Gebräuche

Der Kopf ist heilig, die Füße sind schmutzig. Wichtigster Lehrsatz des thailändischen Knigge, den jedes Kind frühzeitig begreifen muss. Nur in sehr innigen Beziehungen darf dagegen verstoßen werden. Grundsätzlich sind Berührungen des Kopfes (auch bei Kindern) verboten, die Fußsohlen dürfen weder auf Menschen noch auf Buddhastatuen, Königsporträts o. Ä. gerichtet werden.

Vom *farang,* dem Weißen, werden jene Standards erwartet, die man in Thailand für europäisch hält. Dazu zählen neben dem Verzicht auf öffentlich ausgetauschte Zärtlichkeiten in jedem Fall längere Beinkleidung, kurzärmelige, aber nicht ärmellose Oberteile, für Frauen obendrein ein BH. Für einen Gang über den Nachtmarkt reichen Shorts gerade noch, doch schon beim Restaurantbesuch tun sie das eigentlich nicht mehr. Inakzeptabel ist kaputte oder schmutzige Kleidung als Ausdruck persönlichen Lebensgefühls, aber nicht am Ende einer langen Motorradtour. Adrette Kleidung wird beim Besuch von Tempeln und königlichen Gefilden verlangt. In Tempelinnenräumen müssen grundsätzlich die Schuhe ausgezogen werden.

Bei den Bergstämmen

Bergstammdörfer pflegen zahlreiche Tabus. Entwickeln Sie daher nicht zuviel Initiative, sofern Sie nicht in Gegenwart eines Guides oder eines Ihnen sichtlich wohlgesonnenen Einheimischen sind. Natürlich wird man Ihnen, wie überall im Norden, mit Nachsicht begegnen, doch Gäste, die aufwendigen Gegenzauber notwendig machen, sieht man lieber gehen als kommen.

Ansonsten hat sich der Norden schon vor dem ersten Touristen auf geschmeidiges Miteinander eingestellt. Freundliche Kompromissbereitschaft wird Sie daher stets weiterbringen.

Sprache

Auf einem ausgiebigen Spaziergang durch Chiang Mai können zwanzig verschiedene Sprachen an Ihre Ohren dringen. Während Sie glauben, um sich herum lauter Thais im einheimischen Idiom zu vernehmen, vollzieht sich stattdessen oftmals ein kompliziertes Radebrechen.

Die Umgangssprache des Nordens ist **Kham Meuang,** ein schwieriger, nordthailändischer Dialekt. Lingua Franca des Goldenen Dreiecks hingegen ist **Shan** (Kham Tai), das sich zu Kham Meuang etwa verhält wie Deutsch zu Dänisch. Nach Osten hin wird eher **Lao** gesprochen; es verhält sich zu Thai etwa wie Deutsch zu Holländisch.

Palaver in vielen Zungen

Als Beispiel sei eine der häufigen Begegnungen im Souvenirgeschäft geschildert, an das mehrere Stammesleute ihre Handarbeiten verkaufen wollen: Eigentümer des Ladens ist ein Hui. Als Anbieter: zwei Akha, einer aus Nordthailand, der andere aus dem Shan-Staat, ein Karen aus dem Westen, ein Mien aus dem Osten. Ein Kunde aus Bangkok. Die Akha beraten sich untereinander in Akha, bleiben aber bei Neuzeitbegriffen wie „Auto" oder „Wechselkurs" hängen. Palavern in Shan weiter, das der Hui, nicht aber der Karen, der Mien oder der Mann aus Bangkok verstehen. Einer der Akha dolmetscht nach Birmanisch, das wiederum der Karen ins Englisch überträgt, was der Mann aus Bangkok dem Hui in Kham Meuang und dieser dem Mien ins Chinesische übersetzt. Am Schluss glauben alle, sie hätten einander verstanden.

Akha-Frau

Geschichte im Überblick

10. Jt. v. Chr. Felsmalereien und Steinwerkzeuge, die entlang der Flusstäler gefunden wurden, künden von erster neolithischer Besiedelung

1.Jh. v. Chr. Metallgegenstände werden die auf Lawa oder Lua zurückgeführt.

6. Jh. n. Chr. Von Süden das Chao-Phraya-Tal heraufwandernde Mon gründen in Lamphun das Königreich Haripunchai, nördlichster und jüngster Vorposten ihrer Dvaravati-Hochkultur, die zu diesem Zeitpunkt inselartig verteilte Stadtstaaten auch in Zentralthailand sowie im südlichen Birma umfasst.

7. Jh. In Südchina entsteht das Königreich Nan Chao, vermutlich der erste Thai-Staat.

9. Jh. Die Einwohner Nan Chaos wandern entlang dem Mekhong nach Süden und haben vielleicht bereits um diese Zeit Chiang Saen gegründet oder sich mit den eigentlichen Stadtgründern zusammengetan, deren Herkunft dann ungeklärt bliebe. Jedenfalls könnte Chiang Saen die älteste Thai-Stadt auf dem Boden des heutigen Thailand sein.

1238 Auf dem voranschreitenden Zug nach Süden rebellieren Thais gegen das die Region beherrschende Großreich der Khmer und gründen mit der Stadt Sukhothai die eigentliche Wiege thailändischer Kultur.

1262 König Mengrai gründet Chiang Rai und beginnt mit dem Aufbau des Reiches Lanna („Land der Millionen Reisfelder").

1278–1318 Das „Goldene Zeitalter" thailändischer Kultur wird der Herrschaft des dritten Sukhothai-Königs Ramkhamhaeng zugeschrieben. Er führt das thailändische Alphabet ein, organisiert eine Staatsverwaltung und führt ein buddhistisch geprägtes, nach heutigen Maßstäben humanistisches Regierungswesen ein. Ramkhamhaeng schließt einen Pakt mit König Mengrai von Lanna: Sukhothais Macht reicht bis auf die malaiische Halbinsel sowie tief nach Birma hinein.

1281 Mengrai erobert Hariphunchai und beendet damit die Herrschaft der Mon im Norden.

1296 Mengrai gründet Chiang Mai.

1328 Chiang Saen wird Bestandteil Lannas, das seine Grenzen schnell erweitert hat und nunmehr auch weite Teile des heutigen Laos einschließt.

1350 Nachdem U-Thong, ein Abkömmling der Fürsten von Chiang Saen, den Khmer weitere Gebiete abgerungen hat, gründet er das Reich Ayutthaya mit der gleichnamigen Hauptstadt. Von den Khmer übernimmt er das Devaraja-Prinzip eines Gottkönigs.

Ab 1376 Sukhothai fällt allmählich an Ayutthaya. Das erweiterte Ayutthaya ist regionale Großmacht, nachdem es in mehreren Feldzügen das Reich Angkor zerschlagen hat. Es beginnt eine Reihe von Kriegen gegen Lanna.

1511 Mit der Eröffnung einer portugiesischen Botschaft in Ayutthaya beginnt die lange, insgesamt erfreulich verlaufende Beziehung zwischen Europa und Siam, wie das Reich heißt.

1558 Bruderzwiste rufen Birma auf den Plan. Als Erstes fällt Lanna in einer birmanischen Invasion.

1569 nehmen die Birmanen auch Ayutthaya ein und richten schwere Zerstörungen an.

1584 erklärt der jugendliche Prinz Naresuan die neue Unabhängigkeit Ayutthayas.

1590 Naresuan, nunmehr König, besiegt Birma. Er verhilft Ayutthaya zu neuer Blüte: Es wird Millionenstadt und von den Europäern beneidetes Zentrum eines Großreiches – vom südchinesischen Meer bis an den Golf von Bengalen.

1767 zerstören Birmanen Ayutthaya fast gänzlich. Mit dem Brand der Bibliothek gehen die wichtigsten Quellen zur thailändischen Geschichte verloren. Die Thais schlagen sofort zurück.

1775 wird Lanna zurückerobert.

1782 Der soeben gekrönte Rama I., erster Herrscher der noch heute herrschenden Chakri-Dynastie, gründet Bangkok als Hauptstadt eines neuen siamesischen Reiches. Thailands Norden erfreut sich weitgehender Autonomie unter lokalen Fürsten.

1932 beendet ein Militärputsch die absolute Monarchie. Die Streitigkeiten zwischen rechtslastigen Militärs und liberalen Zivilpolitikern während der folgenden Jahrzehnte gehen am Norden ähnlich spurlos vorüber wie der Zweite Weltkrieg und später der Vietnamkrieg. Stattdessen prägen zunehmend Drogenbarone das politische Bild.

1982 treibt die Armee nach schweren Kämpfen Khun Sa und seine Shan-Truppen aus Chiang Rai über die birmanische Grenze. Damit endet zwar nicht der Einfluss der Drogenzaren, aber ihre militärische Präzenz.

1992 werden bei blutigen Unruhen in Bangkok zahlreiche Demonstranten von Armee und Polizei getötet. Auch in Chiang Mai gehen die Menschen auf die Straße und fordern demokratische Reformen.

1998 Nachdem eine Reihe korrupter und inkompetenter Regierungen dem Land Währungskollaps und Wirtschaftskrise beschert haben, übernimmt der Reformer Chuan Leekpai die Regierung.

Ein Denkmal in Chiang Mai erinnert an den Freundschaftspakt dreier Herrscher: Mengrai, Ramkamhaeng und Ngam Muang

Standbild König Mengrais in Chiang Rai

Chuan Leekpai

Kultur gestern und heute

Was den Wissenschaftler betrübt, erfreut den Laien: Jahrhundertelang im Norden wogende Kämpfe zwischen rivalisierenden Thais und anderen Mächten haben eine solche Stilverschmelzung mit sich gebracht, dass selbst Fachleute über klarer Zuordnung verzweifeln, Ihnen aber wenige Eckdaten und Namen zur groben Orientierung ausreichen.

Stilepochen

Dvaravati/Haripunchai (6.–13. Jh.)

Lampang/Lamphun. Bauten sind fast keine erhalten. Die Buddhafiguren sind plump, mit platten Nasen, dicken Lippen und fast qudratischen Gesichtern.

Lanna (13.–16. Jh.)

Bisweilen auch Chiang Saen genannt, ganz im Norden teilweise noch bis 20. Jh. Die Sakralarchitektur war überwiegend in Holz ausgeführt, insgesamt eher zierlich mit starken indischen und birmanischen Einflüssen, zu denen auch etliche erhaltene, achteckige Chedis zählen. Buddhafiguren weisen oft fast indogermanische Züge mit großen, vorstehenden Augen auf.

Sukhothai (13.–15. Jh.)

Kopierte und verschmolz in seinen Sakralbauten sämtliche zu der Zeit bekannten Stile mit einem Sinn für luftige Eleganz. Die Buddhastatuen gelten als ein Höhepunkt asiatischer Kunst: schlicht, in fließenden Bewegungen eingefangen und mit geschlechtslosen Körpern und Gesichtern. Die berühmtesten Exemplare sind schreitend dargestellt, eingefangen in schlangenhaften Posen, die nirgendwo sonst je hervorgebracht wurden.

Ayutthaya (14.–18. Jh.)

Im Norden selten. Baute wuchtiger und ornamentaler als Sukhothai, seine strenge Architektur weist Einflüsse der Khmer auf. Buddhastatuen wurden wieder maskuliner, mit detaillierteren und verzierteren Gewändern und Haartrachten, aber ohne die Eleganz der Vorgänger.

Rattanakosin (ab 18. Jh.)

Im Norden vielfach vermischt mit dem Lanna-Stil. Ein Versuch, den Ayutthaya-Stil zu rekonstruieren, erreichte nie mehr dessen Großartigkeit, durch die Einführung selektiver europäischer Elemente in der Architektur aber mehr Vielfältigkeit. Rattanakosin bringt keine bedeutenden Buddhastatuen mehr hervor.

Gegenwartskultur

Das prägende Wort im Norden ist: Lanna. Damit ist nicht nur eine historische Epoche gemeint, sondern vielmehr ein Lebensgefühl entspannter Gesetztheit, das seinen künstlerischen und kunsthandwerklichen Ausdruck in einer unauflösbaren Verflechtung von Einflüssen der Thai, Birmanen, Shan sowie der Bergstämme findet.

Tempel

Einziger unverzichtbarer Bestandteil des thailändischen Tempels, **Wat,** ist der **Bot,** die Ordinationshalle, in der die Mönche die wichtigsten religiösen Übungen abhalten. Sie ist durch acht Grenzsteine *(bai semas)* umgeben und markiert, die für den Laien schwer erkennbar in Verzierungen, Bodenplatten u. Ä. eingearbeitet sein können.

Ansonsten kann der Wat nach Belieben eine Reihe anderer Bauten umfassen.

Die **Viharn** sind vom Bot architektonisch bis auf die Grenzsteine nicht unterschiedene Hallen für religiöse Veranstaltungen oder zur Aufnahme von Buddhastatuen. Reliquien werden in massiven turm- oder säulenartigen **Chedis,** sonstige Kostbarkeiten im **Mondop,** einer eleganten, quadratischen Halle verwahrt. Die Bibliothek *(ho trai)* steht zum Schutz vor Termiten meist auf Stelzen oder sogar über einem künstlichen Teich. Ansonsten enthält das Wat meist noch eine Reihe von Funktionsbauten *(kuti),* z. B. zur Unterbringung der Mönche.

Schreitender Buddha, Sukhothai-Periode

Ikonologie

Buddhastatuen stellen den Erleuchteten **liegend** (im Sterben bzw. ins Nirvana übergehend), **schreitend** (nur Sukhothai), **stehend** oder **sitzend** dar. Stehende oder sitzende Buddhas zeigen eine Reihe typischer Gesten *(mudras),* die bestimmte Tätigkeiten symbolisieren. Von Indern und Chinesen beeinflusst sind etliche figürliche Darstellungen, die man oft in Tempeln findet. Dazu zählen die Drachenschlange **Naga** sowie der Wächterriese **Yak.**

Traditioneller Shan-Tanz

Tanz, Theater und Musik

Es würde den Rahmen des Buches sprengen, die unglaubliche Vielfalt von Musikinstrumenten und Tanztheaterformen zu schildern, die Thais, Bergstämme, Shan und Chinesen im Norden kennen. Sehen können Sie Tänze im Food Center des Nachtmarktes von Chiang Mai (s. S. 41), im Night Bazar von Mae Hong Son (s. S. 72) und bei einem Kantoke-Dinner (s. S. 26). Besonders eindrucksvoll in Ausstattung und akrobatischer Leistung fallen die Tänze der Shan aus, in denen mythologische Wesen oder Tiere dargestellt werden.

Wat Kukut in Lamphun, ein Prototyp der Dvaravati-Baukunst

Kunsthandwerk

Seide und Baumwolle: Obwohl der Norden eine umfangreiche Gegenwartsproduktion hat, sind seine traditionellen, kleinen, geometrischen Seidenmuster nur noch sehr selten zu finden. Die Seide orientiert sich stattdessen mehr an wuchtigen, großflächigen Dekors, die ursprünglich wohl eher aus Thailands Nordosten stammen. Bedenken Sie beim Kauf, dass die Tropen eine andere Lichtfarbe haben als heimische Breiten: Was in Chiang Mai schön aussieht, wirkt daheim oft hart und bonbonfarben, während vor Ort stumpf Erscheinendes in unserem Licht erst voll zur Geltung kommt.

Die aktuelle *Lanna Fashion,* vorwiegend aus Baumwolle oder Hanf, kombiniert kleidsam und bequem traditionelle Schnitte der Bergstämme und Birmanen mit Thailands klassischer Bauerntracht *Maw Hom,* die in der Provinz Phrae entsteht und mit Indigo gefärbt wird.

Silber: Chiang Mai ist Zentrum hochwertiger Silbermanufakturen, die v. a. Modeschmuck herstellen. Traditionelle Arbeiten sind Schalen aus getriebenem sowie Gürtel aus geflochtenem Silber, die sowohl neu wie antik zahlreich auf dem Markt sind. Das Gleiche gilt für Schmuck der Bergstämme. Herausragend sind vor allem voluminöse, hohle Armreifen aus Silberblech, die von Shan und Hui stammen, aber überwiegend von Akha getragen wurden. Neue Kopien verfehlen die Schönheit der Originale, die ebenfalls noch häufig angeboten werden.

Bergstammartefakte sind noch immer in hoher Qualität und zu erfreulichen Preisen im Angebot, darunter herrlicher Silberschmuck, wundervolle Korbwaren, bestechend schöne Textilien und Stickereien. Besondere Kleinodien bilden alte Opiumgewichte aus Bronze in Gestalt von Tierfiguren: Enten, Löwen, Elefanten. Insgesamt jede Menge entzückender Kleinigkeiten, die neuerdings aus den fernsten Ecken Birmas, Laos und Nordvietnams herbeigeschleppt werden (thailändische Originale sind längst alle verkauft). Sie geben ideale Geschenke und grandiosen Nippes ab, garantieren obendrein zukünftige Wertsteigerungen. Zu allem existieren allerdings minderwertige Kopien oder Neuanfertigungen. Mit einem der Fachbücher gewappnet, wie sie in Chiang Mais Buchhandlungen ausliegen, können Sie stöbern, vergleichen und Schätze sammeln ...

Holzschnitzereien sind wunderschöne, filigrane Arbeiten, die jedoch im europäischen Wohnzimmer leicht zu Staubfängern degenerieren und in trockener Luft leicht reißen.

Keramik: Berühmt sind das pastellfarbene Seladon- sowie das sehr bunte Benjarong-Porzellan.

Lackarbeiten: Die besten Stücke aus Birma und Nordthailand tragen stets einen rot-braunen Grundton, kleinere Objekte sollten auf einem Rosshaargerüst aufbauen und sind dann biegsam.

Feste und Feiern

Jeder Tempel hat sein eigenes Jahresfest, zu dem meistens auch Thai-Boxkämpfe zählen. Alle größeren Ortschaften veranstalten im Winter außerdem einen umfangreichen Jahrmarkt mit Karussellen, Livebands, Disko, Schießbuden, Verkaufs- und Imbissständen. Darüber hinaus werden zahlreiche staatliche, regionale und religiöse Fest- und Feiertage unterschiedlich nach unserem Sonnenkalender oder dem chi-

Sanuk

Nichts reizt den Nationalcharakter mehr als *sanuk* – „Spaß haben", wozu neben *pai theeo* („sich amüsieren gehen") vor allem Feste und Feiertage beitragen.

nesischen Mondkalender begangen, Provinzfeste bisweilen zu variablen Terminen. Die Touristeninformation (TAT) hat Veranstaltungskalender, ansonsten weiß auch Ihr Hotel Bescheid. In Chiang Mai kursieren außerdem mehrere Gratis-Magazine für Touristen, die Sie auf dem Laufenden halten.

Traditionelle Seide aus dem Norden

Januar:

Neujahr (1., gesetzlicher Feiertag).

Borsang Umbrella Fair: Leistungsschau der Kunsthandwerker, v. a. Schirmemacher, vor den Toren Chiang Mais.

Misty City Fair: Stadtfest von Mae Hong Son.

Ayutthaya Elefant Round up: Dickhäuter und illuminierte Monumente.

Menrai Festival: Der Stadtgründer Chiang Rais wird gefeiert (letzte Januarwoche).

Chinesisches Neujahr: Vor allem von den Bergstämmen Lisu, Lahu und Mien begangen (Ende Januar/Anfang Februar).

In einer Silbermanufaktur

Planmäßiger Ausnahmezustand

Es ist wie Krieg mit anderen Mitteln. Millionen Liter Wasser fliegen durch die Luft, Zehntausende schreiender Menschen kübeln, gießen und schütten Wasser über ihre Zeitgenossen, was das Zeug hält. Wehe, ein Faden bliebe trocken! Sie schöpfen aus Flüssen, schießen aus Wasserpistolen, pumpen aus Feuerwehrschläuchen, füllen an eigens aufgestellten Münzhydranten nach, werfen Schlemmkreide hinterher und Eiswürfel dazu.

Es ist die Hölle los. Es werden keine Gefangenen gemacht, aber es gibt weder Gnade noch Erbarmen. Nicht für Ihre Frisur oder Ihr Gepäck, nicht für die Polster Ihres Autos – auch nicht für Ihre Videokamera! Es gibt jede Menge Verletzter, die bei hoher Geschwindigkeit fahrend von Wasserbeuteln getroffen wurden, und jede Menge Verschnupfter, die dem steten Guss aus Eiswasser nicht mehr gewachsen waren. Es ist wirklich die (feuchte) Hölle los, und Sie sollten ernsthaft überlegen, ob Sie die Teilnahme verkraften.

Songkhran, das Neujahrsfest, wird in ganz Thailand rund um den 13. April tagsüber mit Paraden und Wasserschlachten sowie nachts – dann trocken – mit Kulturprogrammen und Sauforgien begangen. Chiang Mai geht fast eine Woche lang aufs Ganze, bis zur totalen Erschöpfung der Stadt, in der während dieser Zeit fast alles geschlossen hat, der Verkehr weitgehend zum Erliegen kommt und sämtliche Hotels ausgebucht sind.

Februar

Blumenfest: Chiang Mai erstickt in Düften, Farben und Paraden (Anfang des Monats).

Elefant Kantoke: Abendmahl mit Dickhäutern im Conservation Center bei Lampang.

Phra Buddha Chinarat Fair: Tempelfest rund um den wichtigsten Buddha von Phitsanulok.

Februar/März

Maha Bucha: Nächtliche Tempelprozession mit Kerzen zum Gedenken an eine Predigt Buddhas. V. a. in Bangkok begangen.

** **Poi Sang Long** kurz Maha Bucha markiert den Eintritt ins Novizentum der Shan-Knaben Mae Hong Sons. Geschminkt und prächtig kostümiert, werden sie in einer Parade zu den Tempeln geleitet.

April

Songkhran, das thailändische Neujahrsfest, wird mit Wasserschlachten begangen (ca. 10.–20.). Besonders wild in Chiang Mai, eher ruhig in Bangkok.

Leidenschaft

Thailand liebt Wetten, die illegal sind, aber dennoch verbreitet. Zu den populärsten Wettgegenständen zählen **Hahnen-** und **Hirschkäferkämpfe.** Vor allem Letztere werden gegen Ende der Regenzeit in Chiang Mai abgehalten, wenn die Tiere in Stimmung sind. Die harmlosen Käferrangeleien ziehen begeisterte Wetter an, ein ziemlicher Spaß. Nach aktuellen Austragungsorten müssten Sie sich im Hotel erkundigen.

Bei den Bergstämmen immer noch verbreitet ist das **Kreiseln.**

Mai

Tag der Arbeit (1., gesetzl. Feiertag).

Krönungstag (5., gesetzl. Feiertag).

Visaha Bucha: Man feiert Geburt, Erleuchtung und Tod Buddhas mit Kerzenlichtprozessionen.

Chiang Rai Lichee Festival (drittes Wochenende).

** **Königliche Pflugzeremonie** am Sanam Luang in Bangkok. Unter Aufsicht des König orakeln die Hofbrahmanen über die nächste Reisernte.

August

Geburtstag der Königin (12., gesetzlicher Feiertag).

Lamphun-Longan-Fest: Zur Ernte der birnenartigen Frucht feiert die Stadt mit Umzügen, Schönheitswettbewerben u. Ä.

Oktober

Chulalongkorn Day zum Gedenken an Rama V. (23., gesetzlicher Feiertag).

Lanna-Bootsrennen mit traditionellen Langbooten in der Provinz Nan.

November

** **Loy Krathong:** Thailands schönstes Fest. In der Vollmondnacht werden kleine Flöße mit Kerzen und Räucherstäbchen auf die Gewässer gesetzt. In Bangkok, Sukhothai und Chiang Mai besonders nett.

Sonnenblumenfest: Mae Hong Son bzw. auf Doi Mae U-Khor oder in Huo Mae Kham.

Dezember

Königs Geburtstag (5., gesetzl. Feiertag).

Verfassungstag (10., gesetzl. Feiertag).

Silvester (31., gesetzlicher Feiertag).

Essen und Trinken

Fröhliche Wasserschlacht zu Songhran

Die thailändische Küche belegt unter den Gastronomien dieser Erde einen Spitzenplatz. Sie wären erstaunt, wie viele Verehrer das Land nur durch seine Köche gefunden hat, und ohne Frage rechtfertigen alleine die Garküchen und Restaurants bereits ausgiebige Ferien im Königreich. Die ursprüngliche Landesküche ist wegen der großzügigen Verwendung verschiedener Chili-Arten außerordentlich scharf. Doch haben sich über die Jahrhunderte viele milde Einflüsse – v. a. aus China, Vietnam, Malaysia und Birma – in die Speisekarten geschlichen, die daher heute die gesamte Palette zwischen sanften Magenschonern bis zu lodernden Höllenfeuern abdecken und stets auch Vegetarisches einschließen.

Ein Elefant aus Blüten: Blumenfest in Chiang Mai

Internationale Restaurants in den Touristenzentren vertreten die Weltgemeinschaft zwischen Paris und Tokio auf oberstem Qualitätsniveau, aber zu Niedrigpreisen. Fast Food Ketten für Pizza oder Hamburger sind selbst in kleineren Orten etabliert, und auf das geliebte Frühstück mit Kaffee, Eiern, Toast und Marmelade muss man höchstens mal im Bergdorf verzichten. Wer also das Vertraute liebt, wird es nicht missen müssen.

Ausnahmsweise mit Fingern

Grundnahrungsmittel des Nordens ist **khao nieo,** Klebreis. Ein besonders schöner, gleichförmiger, weißer Reis, aromatisch jedem herkömmlichen Reis

Stimmungsvolles Loy Krathong

überlegen, der über Nacht in Wasser eingeweicht und danach gedämpft wird. Das Ergebnis sind feste Körnerklumpen, die der Gabel widerstehen. Stattdessen reißt man sich mit der rechten Hand ein Stück ab, knetet es zu Ball oder Löffel, nimmt oder tunkt sich damit etwas von der Beilage und schiebt das Ganze in den Mund.

Bemüht, die Gäste nicht zu überfordern, servieren Restaurants unaufgefordert meist normalen Reis *(khao suay)*, doch privat bevorzugt der Norden Khao Nieo, die meisten Lokale führen ihn, zu manchen Gerichten ist er Pflicht. Dazu zählt auch Nordthailands kulinarisches Glanzlicht, das **Kantoke:** Den Gästen, auf Kissen um einen flachen Tisch platziert, wird Klebreis mit einer Vielzahl von Beilagen in kleinen Schüsselchen und dazu ein Potpourri klassischer Musik- und Tanznummern serviert.

Pasta asiatica

Als Zwischenmahlzeit und Grundnahrungsmittel Nummer zwei hat sich die Nudel etabliert, wahlweise aus Reismehl **(sen mee)** oder dem schwereren Eierteig **(bamee).** Meist zusammen mit vielfältigen Einlagen als Suppe **(kwithieo)** kredenzt, findet man auch häufig eine besonders gute, gebratene Variante **(pad thai),** die durch Soja, Gemüse und getrocknete Süßwassershrimps abgerundet und mit Zitrone, Zucker und gemahlenen Erdnüssen nach persönlicher Vorliebe abgeschmeckt wird. Eine lokale Sonderform der Shan heißt **Khao Soi:** Eiernudeln mit Fleisch und einem kräftigen Schuss Kokosmilch *(kati)*. Eine traditionelle Form davon wird mit Marihuana abgeschmeckt, aus rechtlichen Gründen musste dieses Khao Soi von den Speisekarten verschwinden.

Nudelgerichte werden – da chinesischen Ursprungs – mit Stäbchen gegessen, für lockeren Reis einschließlich seiner Beilagen jedoch nimmt man den Löffel, dem eine in der Linken gehaltene Gabel assistieren darf.

Wirklich lecker

Thais sind leidenschaftliche Esser, die vorwiegend in größeren Gruppen speisen gehen, weil man dann mehr bestellen kann. Die Gerichte werden alle gleichzeitig gereicht und nach Lust und Laune quer Beet verzehrt.

Guter Appetit wird im Norden vorausgesetzt und braucht daher nicht extra gewünscht zu werden, als Abschlusskommentar jedoch empfiehlt sich: lam tae tae („wirklich lecker").

Die Dosis macht's

Was als Gericht auf der Speisekarte steht, ist eigentlich fast alles nur Beilage zum Reis. Nur so versteht sich die außerordentliche Schärfe mancher Speisen, die man sich je nach Gusto mit Reis verdünnt. Zu den typisch nordthailändischen Vertretern dieses Beilagenfeldes zählen die **nam phrik** (Chili-Saucen). Unerschöpflich in ihrer Vielfalt, haben zwei darunter einen festen Platz erobert: das rote *Nam Phrik Ong* auf Tomaten-Fleisch-Basis, eher mild und süß, sowie das grüne, sehr scharfe *Nam Phrik Num* aus passierten Gemüsen. Diese beiden – wie alle Chili-Saucen cremig und daher bequem mit Klebereis zu essen – findet man häufig in Gesellschaft von **Sai Ua,** einer pikanten, aber nicht scharfen Grillwurst mit hohem Gemüseanteil. Soweit die nordthailändischen Klassiker. Ansonsten entspricht die nördliche Küche weitgehend dem Landesstandard, verwendet jedoch, klimabedingt, sparsam Kokos und mehr Bambus.

Manche (aber nicht alle) Gerichte werden ausdrücklich als **phet** (scharf) oder **jeud** (mild) tituliert und sind es dann auch wirklich. Eine Entschärfung auf persönlichen Wunsch wird vorgenommen, doch das mildere Gericht wird sich als wenig gelungen erweisen.

Kleines Einmaleins der Bestellkunst

Die Gerichte sind auf der Speisekarte nach Zubereitungsart und Hauptbestandteil kategorisiert. Dieses System vereinfacht Ihnen die Bestellung: **Gai** ist Huhn, **neua** Rind, **mu** Schwein, **ped** Ente, **gung** Shrimp, **pla** Fisch und **pak** Gemüse.

Kunstvoll geschnitzte Früchte

Tom (Suppen) sind scharf, säuerlich und wegen eines hohen Anteils an Zitronengras, Limettenblättern und Koriander erfrischend und optimal an besonders heißen Tagen. Sie werden mit lockerem Reis gegessen.

Currys: oben grün, links gelb, rechts rot

Tam ist ein sehr scharfer, im Mörser gestampfter, roher Gemüsesalat. Der berühmteste ist *Som Tam Thai,* mit unreifer Papaya, Zitrone, Erdnüssen und Süßwassershrimps. Wird grundsätzlich mit Klebreis gegessen und gehört zu jedem zünftigen Picknick.

Ebenso scharf und säuerlich, aber mit überwiegend tierischen Bestandteilen wird **yam,** ein kalter, fein geschnittener Salat, vorzugsweise als Muntermacher zu alkoholischen Abendgelagen und deshalb meist pur (Vorsicht!) aufgetischt. Zu Yam nimmt man wahlweise lockeren oder klebrigen Reis.

Mobile Garküchen gibt es an jeder Ecke

Pad bedeutet pfannengerührt und schließt zwei der bekanntesten Standardgerichte ein: *Khao Pad,* pfannengerührter Reis mit allem, was die Küche noch hat, ein typischer Resteverwerter, sowie *Pad Phrik Kapao,* Pfannengerührtes mit Chili und Basilikum, betörend aromatisch, aber sehr scharf.

Ziemlich heimisch werden Sie sich bei **yang** fühlen, dem Gegrillten, vor allem auf Hähnchen angewendet, aber sehr empfehlenswert auch mit Schweinenacken (Khaw Mu Yang). Pur oder mit lockerem Reis.

Fische, insbesondere aus dem Süßwasser, lässt man grillen **(thod)** oder dämpfen **(ning).** *Pla Ning Manao* (mit Zitrone gedämpfter Fisch) ist ein weiterer Klassiker mit lockerem Reis.

Besonders variabel fällt die Gruppe der Currys **(kaeng)** aus. Als *jeud* klar, mild und leicht können sie als *massaman* kokostrüb, schwer und süß oder als *kheo wan* äußerst scharf sein. Currys werden immer mit lockerem Reis gereicht und erreichen ihren Höhepunkt in *Kaeng Phet Ped Yang* – nun können Sie Ihr Vokabular testen: scharfes, rotes Kokoscurry mit gegrillter Ente.

Getränke

Zu Thai-Essen wird traditionell Wasser getrunken, aber Bier, frische Fruchtsäfte, Softdrinks oder verdünnter, einheimischer Mekong-Whiskey machen sich ebenso gut.

Früchte

Einkäufe auf dem Obstmarkt sind eine sinnliche Erfahrung der besonderen Art, die Sie der Landeskultur nahe bringt wie kaum ein anderer Zeitvertreib. Im kühlen Klima des Nordens wird viel europäisches Obst angebaut, zu den lokalen Spezialitäten zählen Litschis sowie die ihnen geschmacklich nahe stehenden Lam Yai.

Spottbillig und gut

Trauen Sie sich an die mobilen Garküchen heran – es wäre schade, wenn Ihnen dieser Genuss entginge. Sie sind erheblich preiswerter als Restaurants, hygienisch sogar verlässlicher – Sie sehen immerhin alles vor Ihren Augen geschehen – und bieten obendrein eine interessantes Spektrum an Gerichten, deren Zubereitung sich nur bei großen Mengen lohnt und die deshalb kein Restaurant führt. Dazu zählt *Khao Man Gai* (gedämpftes Knoblauch-Huhn mit Reis) sowie *Kha Mu* (in süßem Soja gekochtes Eisbein).

Urlaub Aktiv

Elefantenreiten

Vielleicht verspricht es mehr, als es hält. Trotzdem ist es als Erfahrung der besonderen Art fast eine Pflichtübung eines Nordthailand-Aufenthaltes. Sensibel, schwer einzuschätzen und allein wegen ihrer enormen Kraft gefährlich, darf man sich den grauen Riesen nur in Gegenwart ihres Mahouts nähern. Ihrem Pfleger vertrauen sie als Einzigem, und sie respektieren ihn. Er sitzt im Nacken und lenkt das Tier, während Sie sich im Korb auf dem Rücken festhalten. Beim langsamen Gang, schlingernd wie ein Schiff in starker Dünung, wird der Platz auf dem Rücken höchst ungemütlich, sobald das Tier ein höheres Tempo anschlägt. Als echtes Reisevehikel jedenfalls nicht zu empfehlen, werden Sie nach einer halben Stunde vermutlich erst einmal genug haben.

Interessant ist auch die Fütterung und Beobachtung der Dickhäuter aus nächster Nähe, unter ihrem Bauch durchzulaufen gilt als Glück bringend.

Rafting

Die interessantesten Angebote finden Sie ab Pai, Thaton und Umphang, fallweise mit dem Bambusfloß oder per Schlauchboot, teilweise mit Übernachtung an Land – in jedem Fall garantiert eine feuchte Angelegenheit. Video, Kamera ect. müssen unbedingt wasserfest verpackt sein oder an Land bleiben. Die Reise ab Thaton erfolgt meist ohne Rückfahrt, daher auch mit Gepäck, für das sie deshalb wasserfeste Verpackung (am besten aus Deutschland mitgebracht) benötigen.

Rettungsweste und nötigenfalls Sturzhelm stellt der Verleiher. Beides muss getragen werden, man fällt leichter vom Floß (und mit dem Kopf auf einen Stein) als man sich träumen lässt – eine schlichte Bambusviper auf einem dicht über dem Wasser hängenden Ast mag reichen. Wildwasserkanuten der harten Schule werden sich in Thailand aber eher unterfordert fühlen.

Reiten

Mae Aw (s. S. 73) und Mae Salong (s. S. 66) bieten tolle Trips per Muli oder Pferd. Grundsätzlich geht es dabei gemächlich zu, wenn Sie sich aber wirklich sattelfest wähnen, wird der Sie begleitende Chinese Ihnen gerne zeigen, dass er bestimmt besser ist als Sie – es sind Ihre Knochen. Die Tiere mögen klapperig wirken, führen aber Krieg im Goldenen Dreieck, tragen Drogen und zeigen sich geländegängig und belastbar, aber eigenwillig.

Hoch zu Elefant

Kochen

Die Thai-Küche ruft bei manchen Langnasen schon bald Suchterscheinungen hervor. Wenn Sie erste Anwandlungen verspüren, sollten Sie sofort einen Kochkurs belegen. Aber Achtung: Es lohnt sich nur, wenn richtiges Einkaufen sowie Umgang mit den Gerätschaften (Wok, Hackmesser ect.) den Schwerpunkt bilden. Gute Rezeptbücher nämlich gibt es derweil zuhauf, aber die verraten nicht, nach welchen Kriterien Chilis ausgewählt werden oder wie man das Schaumsieb handhabt. Die Kosten des Kurses holen Sie gleich wieder rein, wenn Sie – am besten unter Aufsicht der Lehrkraft – Utensilien (elektrischen Reistopf, Schneidbrett etc.) zu einem Bruchteil des bei uns üblichen Preises auf dem Markt erstehen. Die im Weiteren blühenden Ersparnisse durch verzichtbare Restaurantbesuche in der Heimat rechtfertigen ohnehin jeden Preis. Thai-Kochen lernen hat viel mit dem richtigen Augenmaß und Griff zu tun, Ihre Lehrkraft braucht also nicht gut Englisch zu sprechen, Sie müssen nur gut zuschauen.

Auf Rafting-Tour

Nach dem Kochkurs zaubern Sie zu Hause leckere Currys selbst

Tipp Exzellente Hausmannskost kochen lernen Sie im **Thai House** in stimmungsvoller Umgebung an einem ländlichen Khlong in der Nähe der Hauptstadt. Lohnend ist ein viertägiger Kurs, für Eilige wird auch ein eintägiger Schnupperkurs anbegoten.

Nonthaburi, 22 km westlich von Bangkok, ☏ 02/280 0740, Fax 280 0741).

Chiang Mai Thai Cookery School, 1 Moon Muang Rd., ☏ 053/206 388, Fax 206 387.
Siam Chiang Mai Cookery School, 5 Loi Kroa Rd., Soi 1, ☏ 053/271 169, Fax 208 950.

Sompet Thai Cookery School, Thapae Gate, ☏ 053/280 901, Fax 280 902, E-Mail <sompet41@chmai.loxinfo.co.th.>

Trekking

Die Wanderung über einsame, waldige Kuppen zu den Dörfern der Bergstämme bildet insgesamt die populärste und schönste touristische Aktivität der Region. Das Angebot an organisierten Touren ist erschlagend und verwirrend, in manchen Regionen kann man dank guter Infrastruktur sogar auf eigene Faust losmarschieren. Als Erstes sollten Sie also überlegen, was genau Sie eigentlich am liebsten sehen und erleben wollen und welchen zeitlichen, energetischen und finanziellen Aufwand Sie leisten möchten.

Ursprüngliche Dörfer und Urwälder

Vom Tourismus unberührte Bergstammdörfer gibt es in Thailand nur noch sehr wenige. Sie zu erreichen ist fast immer mit erheblichen Marschleistungen verbunden. Außerdem liegen diese Dörfer stets in sehr abgelegenen Regionen, sodass Sie auf einem solchen Trek nur ein oder zwei Dörfer, meist auch nur vom gleichen Stamm, besuchen können.

Als wichtigstes äußeres Indiz für Unberührtheit dürfen Sie Hausdächer betrachten: Wellblech ist erster Vorbote fremder Einflüsse.

Intensives Stammesleben und intakte Natur zur Tierbeobachtung schließen sich aus: legal oder illegal, alle Stämme jagen und farmen, und wenn Sie viele Dörfer sehen möchten, werden Sie auf tiefe Dschungel verzichten müssen.

Auf den Spuren des Schlafmohns

Natürlich ist die Kultur rund um den Schlafmohn besonders anziehend. Blühende Mohnfelder, am besten noch mit darin erntenden Frauen, sind eine Attraktion für sich. Aber der Anbau wird erbarmungslos verfolgt, die Felder sind entsprechend versteckt und schwer erreichbar angelegt. Auch wird nicht jeder Guide Vertraute in Stammesdörfern besitzen, die geneigt sind, ihn mit einer Gruppe zu den Mohnpflanzungen zu führen. Überdies bauen die meisten Dörfer auf thailändischem Boden keinen Mohn mehr an.

Wesentlich einfacher ist es, sich nachts probehalber auf ein Opiumpfeifchen einzulassen. Doch was von manchen Guides propagiert wird (sie verdienen daran), lehnen andere heftig ab. Zu bedenken gilt jedoch, dass Dörfer, die derartigen Service anbieten, meist selber auch ein Drogenproblem haben, was Kultur wie Sozialstruktur fast immer nachhaltig beeinträchtigt.

Infotainment

Wer auf jeglichen öko-kulturellen Ballast verzichten will, um sich einfach nur durch die Bergwelt kutschieren zu lassen, wünscht sich angenehme Gesellschaft, am besten Gleichgesinnter, sowie ein abwechslungsreiches Programm, das vermutlich Elefantenreiten, Floßfahren, Off-Road-Biking, Grillabend mit kaltem Bier oder ähnliches beinhaltet: Dinge, die mit

Off Road

Zweifelsfrei gefährlich und ökologisch nicht unbedenklich sind geleitete Touren per Geländemotorrad im Norden – für erfahrene (!) Fahrer sind sie aber zugegebenermaßen optimal.

Die besten Startpunkte sind Chiang Mai, Mae Sai und Pai (siehe auch „Für Abenteurer“, S. 67).

dem Trekken oder Nordthailand an sich wenig zu tun haben, aber Spaß machen. Dichte Dschungel oder eine Horde gaffender Lahu-Kinder sind dann eher lästig, dafür gewinnt die Frage des gebotenen Komforts (täglich warm duschen?) wahrscheinlich Vorrang.

Soziales Abenteuer

Die Bevölkerung in sehr abgelegenen Dörfern reagiert auf Außenstehende scheu und reserviert. Touristisch viel besuchte Orte – manche erleben mehrere Gruppen pro Tag – sind meist nur noch am Verkauf von Handarbeiten interessiert, Dörfer mit intensiver Drogenwirtschaft grundsätzlich misstrauisch bis fremdenfeindlich und obendrein völlig mit den eigenen Problemen ausgelastet. Wenn Sie soziale Kontakte zu Stämmen suchen, werden Sie in infrastrukturell überdurchschnittlich entwickelten, drogenfreien und nur gelegentlich von Touristen besuchten Dörfern die besten Erfahrungen sammeln, auch wenn die Mehrzahl der Dorfbewohner keine Stammeskleidung mehr trägt …

Fotografen

Wenn Sie mit spektakulären Bildern heimkehren wollen, brauchen Sie überhaupt nicht zu trekken, sondern die Reise nur gut planen: Zu wichtigen sozialen Anlässen, wenn beispielsweise ein Mitglied der Königsfamilie Doi Tung besucht, rücken die umliegenden Bewohner zu Hunderten an und schlüpfen für die Gelegenheit auch dann in ihr schönstes Kostüm, wenn sie ansonsten schon lange Jeans bevorzugen.

Guides

Wenn Sie sich unter den genannten Optionen entschieden haben, wird es Ihnen leichter fallen, die passende Tour und den richtigen Guide zu finden. Sie werden dann wissen, wie viel Englisch der Guide beherrschen und wie viel Sachkenntnis er aufweisen sollte. Zwar müssen alle Guides lizensiert und alle Treks polizeilich gemeldet sein, beides gut für Ihre Sicherheit, doch über tatsächliche Eignung besagt das herzlich wenig. Wenn Sie große Mohnfelder sehen wollen, wird Ihnen ein radebrechender Lisu mehr dienen als ein Absolvent der Bangkoker Tourismushochschule. Machen Sie vor Buchung eindeutig Ihre Wünsche klar, lassen Sie sich erläutern, was geboten wird (ist das Bier garantiert kalt, gibt es vor Ort Zigaretten zu kaufen?), und meiden Sie vor allem große Gruppen, die oft den besten Guide überfordern und dann die lichten Momente eines teuren 7-Tage-Unterfangens auf wenige Stunden schrumpfen lassen. Gemessen an Aufwand und Kosten einer Nordthailand-Reise, sollten 100 Euro mehr oder weniger keine Rolle spielen. Wenn Sie sich dafür einen privaten Guide zu einer maßgeschneiderten Tour engagieren, kommen Sie vom Preis-Leistungs-Verhältnis mit Sicherheit günstiger davon.

Unterkunft

Bangkoks Spitzenhotels sind auch Weltspitze und lassen bei Konzept und Komfort keinen Wunsch unerfüllt. Auch in unteren Kategorien haben Sie jede Menge Auswahl. Mit einer einzigen Ausnahme (The Regent) ist die Kategorie Superluxus im Norden nicht vertreten, die Hotels der gehobenen Kategorie verfügen zwar alle über die international übliche Ausstattung und sind fürs Gebotene preiswert, lassen aber bei architektonischer Fantasie insgesamt zu wünschen übrig.

Außerordentlich erfreulich ist das Bild hingegen in den niedrigen Kategorien, wo eine Vielzahl privat betriebener Gästehäuser und Kleinhotels auf Schnickschnack wie Satellitenfernsehen oder IDD verzichtet, dafür aber zu minimalen Raten teilweise höchst originelle Lösungen, charmanten Service, vielfältige Tourenprogramme sowie teilweise wundervolle Standorte bietet.

Die Badezimmer von Guest Houses in dörflichen Gegenden verfügen manchmal nur über Hockklos sowie zum Waschen Bassins, aus denen man das Wasser schöpft. Beim Trekken hingegen werden Sie bisweilen auch darauf verzichten müssen: das Bad im nächsten Bach, das Klo hinterm nächsten Busch.

Die in diesem Band genannten Kategorien beziehen sich auf Listenpreise, die sich wegen des unstabilen Baht schnell ändern können. Gerade in den oberen Kategorien sowie in der Nebensaison werden erhebliche Rabatte schon auf telefonische Anfrage hin gewährt. Praktisch sämtliche Hotels und viele Guest Houses holen Sie überdies gratis von Busbahnhof oder Flughafen ab, wenn Sie telefonisch kurzfristig vorbuchen und ihre Ankunftsdaten mitteilen.

Reisewege und Verkehrsmittel

Anreise

Bangkoks Flughafen zählt zu den größten der Welt, man hat die Wahl zwischen einer Vielzahl von Fluglinien und Angeboten. Die Preisbrecher sind allerdings oft Monate im Voraus ausgebucht und bescheren fast immer erhebliche Probleme, wenn Sie Ihren Rückflug umbuchen wollen oder müssen. Die Flugzeit ab Europa beträgt 10 bis 15 Stunden.

Bangkok – Chiang Mai

Thai Airways fliegt zeitweise im Stundentakt – zu Songkhran hoffnungslos ausgebucht, ansonsten fast immer unproblematisch.

Busse nach Chiang Mai (ca. 12 Std.) fahren vom Northern Bus Terminal oder ab Khaosan Rd. (mind. 12 Std.).

Mehrere Züge verlassen täglich den Hauptbahnhof Hualamphong. Besonders empfehlenswert: 2. Klasse Schlafwagen, unteres Bett im Nachtzug. Reservieren Sie mindestens einen Tag im Voraus (zu Songkhran ebenfalls hoffnungslos ausgebucht).

Reisen im Norden

Mit dem Flugzeug

Gute Flugverbindungen mit Thai Airways ab Chiang Mai nach Mae Hong Son, Phrae, Nan, Phitsanulok und Chiang Rai.

Mit dem Bus

Alle Provinzhauptstädte haben Busbahnhöfe (Baw Khaw Saw), von denen aus tagsüber häufige Verbindungen nach Chiang Mai bzw. der jeweiligen

Nachbarprovinz fahren. Ausnahmen: Von Nan und Mae Hong Son müssen Sie wegen der größeren Entfernung bereits morgens aufbrechen.

Mit dem Songthaeo

Die umgebauten Pick-ups verkehren zwischen Provinzhauptstädten und Destrikten bzw. Bezirken und Dörfern je nach Passagieraufkommen. Auch das Mittel der Wahl, wenn Sie mal schnell und relativ preiswert zwischen zwei Orten ein Fahrzeug mit Fahrer chartern wollen.

Mit dem Mietfahrzeug

Pkws, Jeeps und Motorräder werden in allen Touristenzentren verliehen, aber nirgendwo so günstig und unproblematisch wie in Chiang Mai. Dort haben Sie die Wahl zwischen großen internationalen Anbietern sowie lokalen Betrieben, die je nach Saison operieren, tendenziell schlechter gewartete Fahrzeuge zu deutlich niedrigeren, aber ebenfalls saisonabhängigen Tarifen vermieten.

Erforderlich ist ein internationaler Führerschein, den allerdings meist weder Verleiher noch Polizisten sehen

Hmong Lodge bei Chiang Mai

Unterwegs im Norden

Routenplanung

Wenn Sie über entsprechend viel Zeit und Unternehmungslust verfügen, können Sie die in diesem Band empfohlenen Routen wunderbar miteinander kombinieren.

Einen kulturhistorischen Schwerpunkt erzielen Sie, wenn Sie Route 1 mit Route 4 verbinden, einen längeren Aufenthalt in Chiang Mai zwischen beide Routen und Ihr Bangkok-Programm ans Ende der Reise setzen. Dafür werden Sie mindestens 7 Tage brauchen, leicht aber auch das Doppelte.

Großartige Landschaften und Bergstämme stehen im Vordergrund, wenn Sie Route 3 und Route 2 miteinander verbinden. Rechnen Sie mit 2 Wochen.

Für eine große Nordthailand-Rundreise dürfen Sie auch als fleißiger Fahrer getrost einen guten Monat veranschlagen. Sie beginnen mit einem Aufenthalt in Chiang Mai sowie der zuvor geschilderten Kombination der Routen 3 und 2, stoßen in Pasang auf die Route 1, übernachten in Chiang Rai, fahren über Phayao nach Lampang, starten dort zur Route 5, auf der Sie in Phitsanulok auf Route 4 stoßen und sich am Schluss in Bangkok wiederfinden. Hier sollten Sie ein wirklich großzügig bemessenes Zeitlimit haben ...

wollen. Die Verkehrspolizei begegnet ausländischen Fahrern mit erheblicher Nachsicht, die Sie im Sinne anderer Touristen bitte nicht strapazieren sollten und die sofort endet, wenn Sie havarieren. Sollten Sie das Pech haben, zu Recht belangt zu werden oder auf ein „schwarzes (Behörden-)Schaf" zu treffen, bleiben Sie äußerst freundlich und diplomatisch – dann zahlen Sie meist auch weniger. Der Austausch von Nettigkeiten bewirkt in Thailand viel mehr, als Sie das von europäischen Behörden kennen.

Bestandteil der Vermietungsangebote sind oftmals diverse Versicherungen, auf deren Schutz Sie im Zweifelsfall besser keinen Pfifferling geben. Prüfen Sie stattdessen das Fahrzeug vor Vertragsunterzeichnung auf Funktionstüchtigkeit, und vermeiden Sie danach tunlichst alles, was irgendein Unfallrisiko beinhalten könnte. Thailändische Fahrer sind nicht aggressiv, aber – an unseren Standards gemessen und dem allgemeinen Landesnaturell entsprechend – oft beinahe schon kriminell sorglos. Insbesondere Blinker, Rückspiegel und ähnliches empfinden sie gerne als nettes, aber in der Anwendung durchaus verzichtbares Zubehör. Die überwältigende Mehrzahl der Unfälle, in denen selber fahrende Touristen zu Schaden kommen, so viel sei versichert, ist selbst verschuldet und Indiz hoffnungsloser Selbstüberschätzung auf fremden Straßen.

Dabei entsprechen Verkehrsregeln und -schilder durchaus den uns bekannten – mit einer gravierenden Ausnahme: Thailand hat Linksverkehr, was zu Anfang oft schwere Umstellungsprobleme schafft.

Tankstellen und Werkstätten findet man überall rund um die Uhr.

Mit dem Fahrrad

In allen Touristenzentren des Nordens verleihen Gästehäuser Fahrräder für den Ortsverkehr. Das bergige Land allerdings überfordert Standarddrahtesel; sobald Sie größere Touren fahren, werden Sie (neben bester Kondition) ein richtiges Mountainbike mit tadelloser Gangschaltung brauchen, nur selten mietbar. Besser, Sie kaufen eines in Chiang Mai (vielleicht gebraucht, schwarzes Brett großer Guest Houses). Für lange Etappen wird das Rad ohne Probleme auf Überlandbusse oder Songthaeos verladen. Thailand allerdings steht auf Motoren und ist kein Radfahrerparadies, eigene Wege oder besonderes Verständnis werden Sie nicht finden.

Stadtverkehr

Nur in Bangkok steht ein unerschöpfliches Reservoir an Meter-Taxen bereit. In Chiang Mai verkehren Sammeltaxis *(Songthaeo)*, die oft lange bis zum Ziel brauchen, sowie recht teure Motorradrikschas *(Tuk Tuk)*. Anderswo gibt es Fahrradrikschas *(Samlor)*, Motorrikschas, Pferdedroschken *(Lampang)*, vor allem aber das *Motosai Lapjang*, das Motorradtaxi: billig, gefährlich und nur für Leute ohne größeres Gepäck. Fazit: Schon alleine wegen des schlechten Ortsverkehrs sind Sie mit eigenem Gefährt oft nicht nur besser, sondern unterm Strich auch billiger bedient.

Straßenlage

Allgemein gut, aber unberechenbar. In den Bergen folgen auf lange, tadellose „Schussstrecken" oft unvermittelt niederträchtig steile Haarnadelserpentinen mit Schlaglöchern und Rollsplitt. Derartige „Kurvenfallen" zeichnen für die Mehrzahl der Unfälle verantwortlich. Während der Trockenzeit unproblematisch ist in der Regenzeit allerdings zumindest für die Routen 2 und 3 ein Geländefahrzeug Voraussetzung. Motorradfahrer brauchen ferner neben Helm auch Brille und Gesichtsschutz: Vor allem in der Dämmerung werden Insekten sonst zu einem ausgewachsenen Problem.

Wat Phra That Doi Suthep (Chiang Mai)

Bangkok

Schaltstelle des Landes

Korruption und schlechte Stadtplanung haben Thailands Hauptstadt in einen lauten, versmogten und verstopften Moloch verwandelt, in dem man zwar prima leben, sich als Tourist jedoch nur schwer bewegen kann. Ein oder zwei Tage sollten Sie der Hauptstadt allerdings mindestens widmen – immerhin birgt die 10-Millionen-Metropole die bedeutendsten Kunstschätze des Landes.

Am **Sanam Luang** wurde Bangkok gegründet, und noch immer pocht hier das Herz Thailands: Rund um den den Königsplatz reihen sich die touristischen Highlights der Stadt. Selbst eine flüchtige Besichtigung füllt einen randvollen Tag.

Das Nationalheiligtum ❶

Umgeben von hohen weißen Mauern am Südende des Platzes ist der Komplex aus ** **Königspalast** und *** **Wat Phra Kaeo** („Tempel des Smaragdbuddha") sicherlich Bangkoks wichtigste Attraktion (🕓 tgl. 8.30–15.30 Uhr). Über 200 Jahre haben Thailands beste Kunsthandwerker am bedeutendsten Tempel des Landes gefeilt, der1782, im Jahr der Stadtgründung Bangkoks, eingeweiht wurde. Heute ist die Anlage beinahe bis auf jeden Quadratzentimeter mit Verzierungen versehen: Schnitzereien, Intarsien, Mosaike, Fresken. Einflüsse sämtlicher thailändischer Kunstepochen wurden aufgegriffen. Der Gesamteindruck ist von verwirrender wie überwältigender Farben- und Formenpracht, die Sie vermutlich schon in ihren Bann schlägt, wenn Sie die riesigen Wächterfiguren am Tor passieren. Auf einem vielstufigen Altar im Bot thront die nur 66 cm hohe Jadefigur des Smaragdbuddha. Stets in geheimnisvolles Zwielicht gehüllt, gilt dieser Buddha als Beschützer von Nation und Königshaus. Die Wandmalereien im Innern des Bot stellen Szenen aus dem Leben Buddhas dar.

Die Gebäude des ** **Königspalastes** hinter dem Wat Phra Kaeo zeigen teilweise bereits deutliche europäische Einflüsse. Der König wohnt hier zwar nicht, aber die Räume werden weiterhin für vielerlei offizielle Anlässe genutzt und sind meistensteils der Öffentlichkeit nicht zugänglich.

Gemaltes Ramakien

Laufen Sie einmal den Wandelgang, der die gesamte Tempelanlage umgibt, entlang. Beginnend am westlichen Eingang erzählen farbenfrohe Fresken das Ramakien, die thailändische Version des indischen Heldenepos Ramayana: Mit Hilfe seines Freundes, des Affengottes Hanuman, befreit Rama seine geliebte Sita aus den Klauen des Bösen.

** Wat Pho ❷

Ein weiterer Komplex hinter dem Palast beherbergt Bangkoks ältesten und größten Tempel (🕓 tgl. 8–17 Uhr). Während Wat Phra Kaeo traditionell vornehmlich dem König vorbehalten blieb, ist diese Anlage seit jeher nicht nur wichtigster Andachtsort des Volkes, sondern auch eine der tragenden Bildungsinstitutionen Thailands, an der bis heute Massage und traditionelle Medizin gelehrt werden.

In dem Wald aus Chedis, Statuen und Verzierungen, der das unübersichtliche Tempelgelände bedeckt, verbergen sich u. a. auch zahlreiche, steinerne Lehr- und Schautafeln, deren Botschaften teilweise noch immer geknackt werden müssen. Zentrum jedoch ist neben dem großartigen Bot vor allem der Viharn mit dem **Ruhenden Buddha,** Thailands schönste Figur dieser Art – 46 m lang und 15 m hoch. In den Fußsohlen veranschaulichen Perlmuttintarsien jene 108 Merkmale, an denen man einen Buddha erkennt.

Königspalast und Wat Phra Kaeo

** Wat Arun ❸

Von Tha Tien, der Bootsanlegestelle bei Wat Pho, bringt Sie die Fähre über den Chao Phraya zu Bangkoks spektakulärstem Tempel. Der 82 m hohe Zentralprang wird von vier kleineren umgeben, die Anlage symbolisiert den heiligen Berg Meru. Vom Konzept her eindeutig kambodschanisch, hat man bei den Proportionen schlankere thailändische Maßstäbe angelegt. Der Bau wurde mit Porzellanintarsien regelrecht überzogen und schimmert schon aus weiter Entfernung seidig.

Tipp Von der oberen Plattform des Wat Arun genießt man einen wundervollen Ausblick über den Fluss auf das alte Bangkok – ob Sie sich die atemberaubend steilen und halsbrecherisch schiefen Treppen hinauftrauen?

- ❶ Königspalast/ Wat Phra Kaeo
- ❷ Wat Pho
- ❸ Wat Arun
- ❹ Nationalmuseum

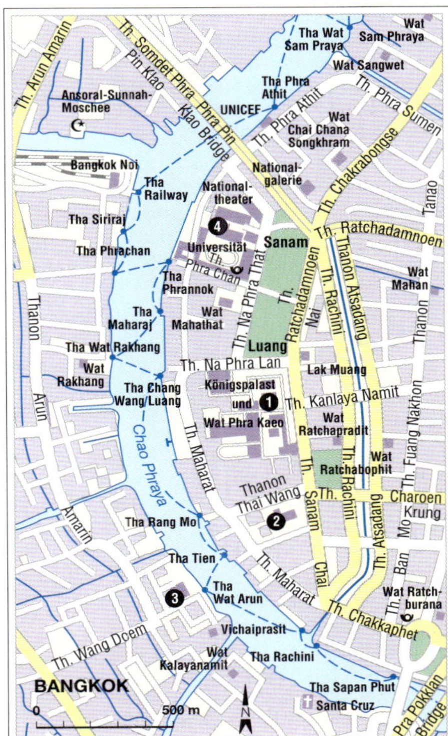

** National-museum ❹

Ein Besuch lohnt, wenn Kraft und Zeit reichen (🕓 Mi–So 9–12, 13–16 Uhr, deutschsprachige Führungen Do 9.30 Uhr). Die Anlage diente einst als Sitz des Vizekönigs und umschließt die Buddhaisawan-Kapelle mit **Phra Sihing,** einem weiteren bedeutenden Buddha, der die exquisiteste Statuensammlung des Museums krönt.

Ausklang am Sanam Luang

Lassen Sie den anstrengenden Tag am Sanam Luang ausklingen. Setzen Sie sich auf eine Bank, genießen Sie den Rundblick auf Wat Phra Kaeo, das Museum, die buddhistische Universität von Wat Mahathat hinter den roten Mauern, und seien Sie sich gewiss, dass Sie nirgendwo mit so wenig Aufwand so viel Thailand erleben wie hier.

i TAT-Zentrale, 202 Ratchadapisek Rd., Bangkok 10310, ☎ 02/694 1222; zentraler liegt das Büro in der 4 Ratdamnoen Nok Ave. Infoschalter am Flughafen. Infozentrum in der Khaosan Rd. (Chanasongkram-Polizeistation). Tourist Service Center (rund um die Uhr) für Infos, Probleme und Beschwerden, ☎ gebührenfrei 1155.

✈ International Airport, 22 km nördlich. Kostenloser Shuttle Bus zum Domestic Terminal (500 m entfernt). Limousine Service von Thai Airways in die Stadt. Ein Schalter für Meter-Taxis finden Sie kurz nach dem Ausgang; Aufpreis zum angezeigten Fahrpreis 50 Baht plus 25–50 Baht Highwaygebühr. Ein Airportbus fährt auf drei Routen die wichtigsten Hotels der Stadt an. Fahrzeit je nach Verkehrslage 30 Minuten bis zu 3 Stunden!

Taxis mit Taxameter (großes Schild „meter“ auf dem Dach) sind relativ preiswert. Will ein Fahrer das Meter nicht einschalten und einen Festpreis mit Ihnen aushandeln, steigen Sie sofort aus – es gibt reichlich Taxen!

Expressboote auf dem Chao Phraya umgehen jeden Verkehrsstau. Sie fahren zwischen 6 und 18 Uhr und halten z. B. nahe des Königspalastes, gegenüber vom Wat Arun, am Shopping Center River City, am Chinatown-Pier und an einigen Hotel-Piers.

Tipp Wegen der notorischen Verkehrsinfarkte lohnt sich strategische Planung vor allem, wenn Sie ihre Tage nicht im Taxi verbringen wollen. Hotels und Restaurants sind daher in zwei Gruppen aufgeteilt. Die erste liegt nahe dem Nightlife- und Shopping-Brennpunkt Silom Rd. Wohnen Sie hier, wenn Sie eher nachts unterwegs sind oder hauptsächlich einkaufen wollen. Die zweite ist direkt am Sanam Luang und günstig für ein Kulturprogramm bei Tageslicht.

Vorwahl: 02

Direkt am Flughafen und optimal für Umsteiger befindet sich das **Amari Airport,** ☎ 566 10 20, FAX 566 19 41, ein erstklassiges Haus, das neben dem üblichen Luxus nicht nur einen Shuttle Bus zum Terminal bietet, sondern obendrein Sondertarife gewährt, wenn Sie nur einen halben Tag duschen, schwimmen und ausspannen wollen. ($$$)

Silom Gegend

The Sukhothai, Sathorn Tai Rd., ☎ 287 02 22, FAX 287 49 80 (Reservierung in D: ☎ 01 30/81 47 19). Genial wurde klassisch-thailändischer Stil in Granit, Glas und Holz modern nachempfunden. Bangkoks schönstes, durchaus aber nicht teuerstes Hotel, u. a. mit einem exquisiten Thai-Restaurant. ($$$)

Tartawan Palace, Suriwongse Rd., ☎ 238 2620, FAX 238 3228. Stilles, sehr freundliches Haus mitten im Amüsierviertel, das sich neben Geschäftsleuten vom nahen Edelsteinmarkt vor allem an anspruchsvolle Individualtouristen richtet. ($$$)

Niagara, Silom Soi 9, ☎ 233 5783. Eines der preiswertesten Hotels in der weiteren Umgebung, einfache Zimmer mit Klimaanlage. ($$)

Nach Einbruch der Dunkelheit locken die Garküchen in der Silom Road. Für preiswerte, hervorragende Thai-Küche empfehlen sich besonders tagsüber:

Annas Cafe, Soi Saladaeng, ☏ 632 0620. Überwiegend von Thais besuchtes Lokal mit neokolonialem Ambiente; kleine Speisekarte mit leicht entschärften Standards, gutes Nam Phrik Ong und Klebreis, köstliche Kuchen und Desserts. Abends Reservierung erforderlich. (S)

Silom Village Restaurant, Silom Rd., ☏ 235 8760.

Die Seele der Nation

Thailand liebt seinen König. Eine der wenigen, einfachen Wahrheiten eines Landes, in dem fast nichts so ist, wie es scheint. Die vielfältigen Rituale, die täglich landesweit um das Königshaus vollzogen werden, sind daher keineswegs Ausdruck starrer Tradition, sondern der Dankbarkeit für Hilfe in der Not. Denn eigentlich hätte alles ganz anders kommen sollen:

Als Bumiphol Adulyadet am 5.12.1927 in Cambridge, USA, geboren wurde, ließ nichts darauf schließen, dass er jemals König werden oder auch nur thailändischen Boden betreten würde. Sein Vater, ein Prinz zwar, aber den Gepflogenheiten des heimischen Hofes abhold, hatte in Deutschland und den USA studiert, lebte nach westlichen Vorstellungen und hatte Ähnliches wohl für seinen Sohn im Sinne. Und so wuchs der junge Bumiphol am Genfer See auf. Begeisterter Rennfahrer, begabter Saxophonist, sprach er häufiger Englisch, Französisch und Deutsch als seine Muttersprache. Doch die Verwerfungen im Umfeld des Zweiten Weltkrieges setzten unverhofft seinem älteren Bruder die Krone auf. Nach dessen vorzeitigem Tod blieb Bumiphol nichts anderes übrig, als den Thron eines Landes zu besteigen, das ihm fremd gewesen sein muss.

Verheiratet mit der Diplomatentochter Sirikit, trat der junge Monarch Anfang der 60er Jahre eine von der Regenbogenpresse frenetisch bejubelte Abschiedsreise durch Europa an. In der neuen Heimat wandelte er dann seine Lebensführung und widmete sich hinfort ausschließlich den mannigfaltigen Problemen Thailands. Laut Verfassung machtlos und dennoch mächtigster Mann im Lande, dirigierte er das Staatsschiff unermüdlich wie unanfechtbar durch die hohen Wogen von Studentenunruhen, Militärputschen, kommunistischen Aufständen, Wirtschaftskrisen und Wertewandel. Ohne ihn, so viel steht fest, wäre Thailand niemals so erfolgreich gewesen.

Sein besonderes Augenmerk galt immer der Natur und den sozial Benachteiligten. Daher erstaunt es kaum, wenn viele der Bergvölker zu dem weisen, alten Monarchen ein durchaus persönliches Verhältnis empfinden, obwohl ihre innere Verbindung zu dem Land, dessen Ausweis sie in der Tasche tragen, ansonsten oft schwach ist. So groß ist die Popularität des Rama IX., dass man sein Porträt noch in windschiefen Bambushütten auf Berggipfeln tief in Birma oder Laos treffen kann, als Anerkennung einer Lebensleistung.

Touristenbus-Treffpunkt, das Essen allerdings wird höchsten Thai-Standards gerecht. Abends mit klassischen Tanzvorführungen, dann Reservierung erforderlich. $

Am Sanam Luang

The Royal Hotel, direkt am Sanam Luang, ☎ 222 91 11, Fax 224 2083. Bangkoks zweitältestem Hotel sieht man die Jahre auch an. Die Verbindung von optimaler Lage und charmantem Schlendrian hat aber ihre Reize. $
Sawasdee House, Soi Rambutri, ☎ 281 8138, Fax 629 0994. Hübsche Zimmer und nette Lobby nur ein paar Schritte vom Königsplatz und dem Backpacker-Eldorado Khaosan Rd. entfernt. $

Ton Pho, Phra Athit Rd., ☎ 280 0452. Terrassenlokal mit Blick auf den Fluss und tadelloser Thai-Küche. $
Royal India, Khao San Rd. Typisch Khao San: Von früh bis spät nudelt das Video. Die indischen Currys sowie das Chicken Kebab jedoch sind vorzüglich. $.

Rund um **Patpong** finden Sie jede Menge Bars und Diskos. Junge Backpacker amüsieren sich gerne in der **Khao San Road.** Die großen Hotels bieten ebenfalls Entertainment an, doch alle großen Unterhaltungspaläste leiden wegen der Wirtschaftskrise an Besucherschwund.

Auch wenn Bangkok als Shoppingparadies gepriesen wird – Sie wollen in den Norden, und dort, insbesondere in Chiang Mai, können Sie viel besser einkaufen ...
Einen Besuch allerdings lohnt das Kaufhaus **Narayana Phand,** dort finden Sie zu konkurrenzfähigen Preisen auf mehreren Etagen so ziemlich alles, was der Tourist in Thailand kaufen möchte (Ratdamri Rd., gegenüber World Trade Center; tgl. 8–20 Uhr, viele Stände erst ab Mittag).

Chiang Mai

Unangefochtene Nummer eins

Die Stadt am Ping-Fluss bedeutet dem Norden, was Bangkok für die Nation darstellt: Dreh- und Angelpunkt, an dem alles seinen Anfang nimmt und alles endet. Markt der umliegenden Völker und Nationen, Hort der Kunstschätze, Magnet des Fremdenverkehrs, Monument und Schandfleck zugleich, alles vereinnahmend und daher nicht typisch, aber dennoch unverzichtbar.

1296 wurde „Neustadt“ von König Mengrai gegründet, nachdem ihm sein erst kurz zuvor ins Leben gerufener Hauptsitz Chiang Rai offenbar nicht mehr gefiel. Seitdem musste Chiang Mai seine Führungsposition nie mehr verteidigen, nicht einmal gegen die ältere und würdigere Schwester Sukhothai im Süden und auch nicht in zwei Jahrhunderten birmanischer Besetzung. Das kühlere Klima und der Kranz hoher Berge ringsum geben bis heute den Aussschlag, begünstigen größere ethnische und ökologische Vielfalt. Im Mittelalter waren es chinesische Kaufleute, die Chiang Mai über die Seidenstraße ans Weltgeschehen anbanden, heute schaffen Touristen mit anderen Mitteln das Gleiche: „Neustadt“ ist immer neuer gewesen als die anderen, jünger, dynamischer und natürlich reicher.

Ein Pfiffikus hat ihr den Beinamen „Rose des Nordens“ verliehen, nicht etwa Orchidee, denn die hat keine Dornen. Etwa in Form ungezügelten Wachstums, unpassender Hochhäuser, unkontrollierbaren Verkehrs. Trotz all derartiger Misslichkeiten hat Chiang Mai sein Image als Metropole der Lebensqualität gewahrt. Ausländische Thailand-Liebhaber haben hier ihren Wohnsitz. Den Touristen aber verführt sie mit ihrem dicht gepackten Konglomerat an vorzüglichen Restaurants, lauschigen Tempeln, guten Hotels, geschmackvollen Bars, fortlaufenden Festivals und vortrefflichen Einkaufsmöglichkeiten zum steten Verweilen. Im wuseligen Verkehr verläuft das nicht mehr so gemächlich wie ehedem, dafür aber umso amüsanter.

Chiang Mais größte Attraktion: der Night Bazar

Seite 43

** Night Bazar ❶

Der Nachtmarkt, dereinst Zwischenstopp von Karawanen, die über Birma zwischen China und dem Rest Südostasiens pendelten, wurde entsprechend mittelalterlicher Verteidigungsphilosophie kurz vor den Stadttoren angelegt. Bis heute hat sich daraus ein halber Quadratkilometer von Hallen und Ständen entwickelt, deren Angebot vornehmlich Touristen gilt und der vermutlich in Asien der größte seiner Art ist. Casualwear sowie Markenpiraterie wandern hier noch reichhaltiger und preiswerter über den Ladentisch als in Bangkok. Chiang Mai ist die Hauptstadt des thailändischen Kunst-

Schlender-Town

Chiang Mai ist ein idealer Ort, sich ziellos treiben zu lassen, und sofern Ihnen der Reiseveranstalter nicht ein kompaktes Programm verordnet, dürfen sie es getrost der lokalen Szene gleichtun: Die nähere Umgebung zu Fuß erkunden, alles weitere gemütlich mit dem (Miet-)Moped ertuckern – der öffentliche Nahverkehr fällt neuerdings unter den dornigen Bestandteil, an dem jede Liebesmüh vergeblich ist.

Chiang Mai verfügt über zu viele, schöne Flecken und verwinkelte Altstadtgassen, als dass ein Reiseführer sie auflisten könnte, selbst die Anzahl kann man nur schätzen. Mit einer Karte ausgerüstet, können Sie sich leicht orientieren. Die Altstadt bildet ein genaues Quadrat von knapp 2 km Kantenlänge, das durch Reste und Rekonstruktionen der alten Befestigungsanlagen sowie einen ringsum laufenden Wassergraben unübersehbar gekennzeichnet ist.

Einzelne Attraktionen kosten Sie aus, wenn sie denn gerade am Wegesrand des täglichen Schlendrians liegen und Ihr aktuelles Erholungs- wie Abwechslungskonzept bereichern. Es muss durchaus nicht jeder Einzelposten abgeklappert werden, sonst wären Sie ziemlich lange beschäftigt. Ansonsten seien Sie gewarnt: Der Norden erschließt sich nur jenen, die nicht in Chiang Mai versacken.

handwerkes, die großen Manufakturen (deren Mutterhäusern Sie später für mehr Auswahl und niedrigere Preise selektive Besuche abstatten können) sind zumindest alle mit einer Zweigstelle vertreten. Zwischendrin werden noch Unmengen von Obst und Postkarten an das Volk gebracht, warten letzte Antiquitäten, laden Restaurants und Rotlichtbars zum vorübergehenden Konsumkollaps ein. Geschlossen wird, wenn den Kunden die Puste ausgeht.

Seite 43

Tipp Zu den besten Angeboten zählen noch immer Gewürze: Safran, Sternanis und was es der feinen und sonst teuren Aromen mehr gibt.

Das **Galare Food Center** mitten im Nachtmarkt bietet neben preiswertem Essen auf zwei Bühnen traditionellen Tanz, Thai-Boxen und Transvestitenshows. ($)

Die wichtigsten Tempel der Innenstadt

Chiang Mai ist mit auch alten Tempeln reichhaltiger ausgestattet als andere Landesregionen, die meisten hätten einen Besuch verdient, doch in der Innenstadt sind drei besonders wichtig.

* Wat Chedi Luang ❷

Sein Chedi, 1411 errichtet, muss im 15. Jh. mit 90 m Höhe die Stadt wie ein Wahrzeichen überragt haben. Thailands heutiges Nationalheiligtum, der Smaragdbuddha, stand damals in seiner östlichen Nische. Ein Erdbeben köpfte den Bau hundert Jahre später, und als die nördliche Rose 1775 den Birmanen endgültig entrissen wurde, richtete thailändisches Geschützfeuer irreparable Schäden an: Die vormals reichen Verzierungen sind in keiner historischen Quelle festgehalten und so mussten aktuelle Restaurationen mangels Vorlage unbefriegend bleiben. Dennoch legt die erhaltene Basis des Chedi mit 60 m Höhe und monumentalen Elefantenskulpturen immer noch beredtes Zeugnis alter Pracht ab.

Umsorgter Schutzgeist

Links vom Haupteingang und noch vor dem Viharn steht in einem Sala die **Stadtsäule,** wo dem Schutzgeist Chiang Mais täglich frische Opfergaben gereicht werden.

Wat Chiang Man ❸

Der Bot wird durch wuchtige Teakpfeiler gestützt, von denen man früher einen unerschöpflichen Vorrat zu haben glaubte. Der typische Lanna-Bau entstand 1297 als erster Tempel Chiang Mais an jener Stelle, von der Mengrai aus die Errichtung seiner Stadt dirigierte. Der Chedi, umgeben von Elefanten im Sri-Lanka-Stil, stammt vermutlich tatsächlich aus dieser Zeit, alle anderen Strukturen sind nach zahlreichen Umbauten Produkt späterer Epochen. Zwei Buddhastatuen im hinteren Viharn zählen zu den wichtigsten und ungewöhnlichsten Thailands.

Der kleine Reliefbuddha **Phra Sila** soll im 8. Jh. aus Sri Lanka gekommen sein und Regen bescheren. Er steht im Mittelpunkt von Chiang Mais Songkhran-Feierlichkeiten (s. S. 24).

Der noch kleinere aus Kristall geschnittene **Phra Sae Tang Khamani** soll noch ein wenig älter sein und aus dem Besitz der Mon-Königin Chamadevi von Haripunchai stammen. Er bewahrt vor Unheil.

Wat Phra Singh ❹

Der Tempel ist religiöses Zentrum der Innenstadt. Ein Chedi aus der Mitte des 14. Jhs. birgt die sterblichen Überreste von König Kam Fu. Die anderen Tempelbauten stammen aus der Zeit des 17./18. Jhs., als die während der birmanischen Besetzung verfallene Anlage im späten Lanna-Stil neu errichtet wurde. Der großartige Viharn wurde erst gegen 1920 vollendet, um **Phra Singh** aufzunehmen, den legendenumwobenen Hauptbuddha Chiang Mais. Stilistisch offenbar nicht eindeutig zuzuordnen, könnte er sowohl Lanna-, als auch Sukhothai- oder ceylonesischen Ursprunges sein, wie die Legende behauptet. Ursprünglich soll er bereits kurz nach Entstehung des Tempels hier seine Heimstatt gefunden haben, begab sich später jedoch offenbar auf eine rätselhafte Wanderschaft. Heute jedenfalls existieren vier mit Echtheitsanspruch. Einer im Nationalmuseum Bangkoks, einer in der südthailändischen Stadt Nakhon Si Thammarat und ein weiterer schließlich im Nationalmuseum Chiang Mais. Die Fachwelt schweigt betroffen, manche Rätsel wollen eben nicht gelöst sein. Einigkeit herrscht über die **Bibliothek:** Gleich zur Rechten des Haupteingangs gilt sie als bestes Stück ihrer Art in Nordthailand.

Im Wat Chiang Man

1. Night Bazar
2. Wat Chedi Luang
3. Wat Chiang Man
4. Wat Phra Singh
5. Suan Dok
6. Wat Umong Suan Puthatham
7. Wat Jed Yot
8. Chiang Mai National Museum
9. Tribal Museum

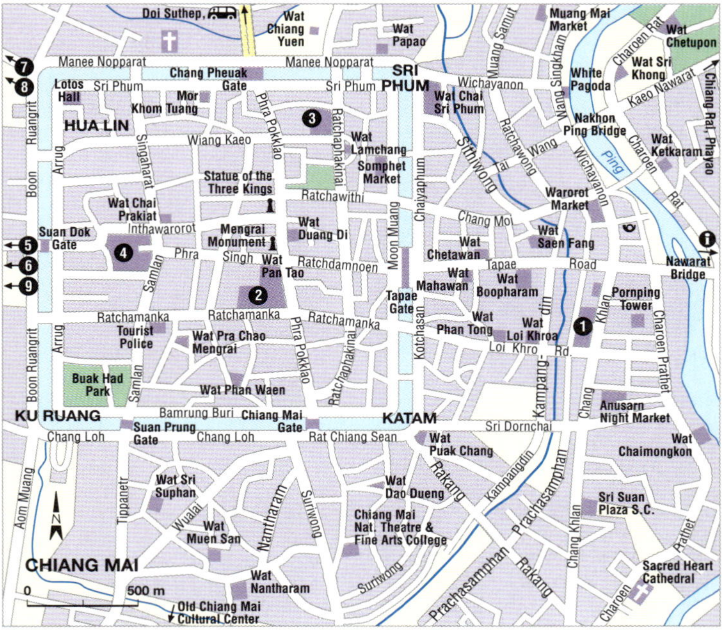

Tempel am Stadtrand

Wenn's passt, könnten Sie noch drei Anlagen am Stadtrand beehren. **Wat Suan Dok** ❺ wurde 1371 zur Aufnahme einer Buddhareliquie errichtet. Der fast 5 m hohe Bronzebuddha *Phra Chao Kao Tue,* 1504 gegossen, ist eines der schönsten Beispiele monumentaler Lanna-Figuren. Ein kleiner Wald aus Chedis birgt die sterblichen Überreste eines Großteils von Chiang Mais Adligen, die anlässlich einer grundlegenden Renovierung der Anlage zu Beginn des 20. Jhs. gemeinsam hierher verlegt wurden. Ein Besuch lohnt auch wegen der hier von alten Damen verabreichten Massagen.

Seite 43

Wat Umong Suan Puthatham ❻ gehört zu der Hand voll thailändischer Meditationstempel, die Weltruhm erlangt haben und weiterhin zahlreiche ausländische Schüler empfangen. Zahlreiche Relikte belegen eine Gründung im 14. Jh., der allerdings baldiger Verfall folgte. Erst nach dem Zweiten Weltkrieg wurde die Anlage wieder in Betrieb genommen. Kunsthistorisch gibt es nichts zu sehen, aber in den Gartenanlagen können Sie Atmosphäre schnuppern und frei laufenden Hirschen begegnen.

1477 trat in **Wat Jed Yot** ❼ das achte buddhistische Weltkonzil zusammen, um sich – allerdings angesichts der wahrhaft schwierigen Aufgabe nur mäßig erfolgreich – in Sachen einziger Wahrheit zu einigen. Vermutlich wurde der kleine Tempel extra wegen dieser Versammlung errichtet, jedenfalls weist er für die Gegend völlig fremdartige Merkmale auf, deren Vorbilder nur in Birmas Tempelstadt Bagan sowie in Indien am Orte von Buddhas leibhaftigem Wirken zu finden sind. Konisch zulaufende Chedis thronen auf dem gemauerten, originalen Viharn, der mit zahlreichen originalen Stuckfiguren verziert ist. Angeblich tragen sie Gesichtszüge der Verwandten des Erbauers, König Tilokarat. Seine Asche ruht im Hauptchedi des Wat.

Interessante Museen

Das **Chiang Mai National Museum** ❽ (🕓 Mi–So 9–16 Uhr), nur einen Sprung weiter, zeigt übersichtlich nach Regionen und Epochen strukturiert und englisch beschriftet Kunstwerke und Gebrauchsgegenstände.

Für die meisten interessanter freilich ist vermutlich die in einem dreistöckigen Pavillon untergebrachte Sammlung des **Tribal Museum** ❾ (🕓 tgl. 9–16 Uhr; Chotana Rd. im Ratchamangkla Park). Im Parterre kann man Handarbeiten und Kassetten mit Stammesmusik erwerben, die oberen Stockwerke zeigen Fotos, Kostüme und Gebrauchsgegenstände aller Stämme sowie eine Dokumentation zu Projekten der Entwicklungshilfe. Eine gute Vorbereitung für ein Trecking oder eine Shopping-Tour für Stammessouvenirs.

Die Manufaktur-Dörfer

Zwei Halbtagsausflüge ins Umland sollten Sie ins Pflichtprogramm aufnehmen: Überwiegend entlang der Straßen nach **San Kamphaeng** im Südosten und **Hang Dong** im Südwesten haben sich die großen Manufakturhäuser niedergelassen. Möbel, Schnitzereien, Keramik, Schmuck, Korbwaren, Seide, Lanna-Konfektion sowie in dem

Ökonomisch einkaufen

Wollten Sie alle Kunsthandwerker besuchen, wären Sie tagelang beschäftigt. Ökonomischer ist es, eine Vorauswahl an Dingen zu treffen, die Sie besonders interessieren, und sich von den Verkaufsoutlets auf dem Night Bazar die Adressen der Mutterhäuser geben zu lassen. Alternativ können Sie die oben genannten Straßen zügig durchfahren und auf dem Rückweg überall dort halten, wo große Hinweisschilder Ihr besonderes Augenmerk erregen.

an der Strecke liegenden Dorf **Bor Sang** Schirme, Fächer und sonstiger Krimskrams in Hülle und Fülle.

Lichter Ausblick

Das atmosphärische Highlight Chiang Mais ist **Doi Suthep** mit dem ****Wat Phra That Doi Suthep,** dem wichtigsten Tempel Nordthailands. Als eine für Wat Suan Dok gedachte Reliquie sich spaltete, wurde ein Teil auf den Rücken eines weißen Elefanten verfrachtet, der in 1080 m Höhe durch nachhaltiges Trompeten einen Standort erkor. Wenn günstige Winde die Dunstglocke über Chiang Mai vertreiben, hat man vom Tempelgelände einen guten Ausblick über die Stadt. 300 von mächtigen Naga-Schlangen flankierte Stufen führen vom Parkplatz hinauf, die Zahnradbahn ist derzeit leider nicht in Betrieb. Im Mittelpunkt der Anlage thront ein mit vergoldeten Kupferplatten belegter Chedi, der die Buddhareliquie enthält.

Auf dem Tempelgelände herrscht fast lebhaftes Treiben, da es zu Thailands populärsten Wallfahrtsorten zählt und Thais wie Ausländer ohne ein Album mit Doi-Suthep-Fotos offenbar nicht leben zu können glauben.

Ein Stück weiter liegt **Phuping Palace,** eine der königlichen Residenzen mit hübschen Gartenanlagen, die in Abwesenheit der Königsfamilie (Fr–So) öffentlich zugänglich sind. Tempel wie Palastgarten schließen bereits um 16 Uhr.

Auf der Palaststraße geht es weiter zum Hmong-Dorf **Doi Phui,** der Fremdenverkehrsinkarnation eines Bergstammdorfes, das sich vorbehaltlos dem Souvenirverkauf hingegeben hat. Stimmungsmäßig recht lustig, aber verzichtbar, wenn Sie ohnehin ein Trekking vorhaben.

Lohnenswerter ist ein Streifzug durch das Gelände des **Doi-Suthep-Nationalparks** mit Wasserfällen und schönem Baumbestand, wo interessante Vogelbeobachtungen möglich sind.

Wat Suan Dok

Schirmemaler

Im Wat Phra That Doi Suthep

Ausflug ins *Tal von Mae Sa

H 1096 ab Mae Rim und anschließend H 1269 führen im Halbkreis westlich um Chiang Mai. Wie Perlen an der Kette sind auf der landschaftlich schönen Strecke Orchideen- und Schmetterlingszuchten, Elefantenreitställe, Wasserfälle, Bergstammdörfer sowie schicke Resorts mit üppigen Gartenanlagen und umfangreichen Speisekarten aufgereiht. Brechen Sie frühzeitig auf, um ab 8.30 Uhr die **Elefantenshows** sehen zu können. Zu den Höhepunkten der Tour zählt der **Queen Sirikit Botanical Garden** mit fast 1000 ha Landschaftsarchitektur. Auf der Heimreise passieren Sie die Kunsthandwerksstrecke über Hang Dong (s. o.)

TAT, 105/1 Chiang Mai Lamphun Rd., ☎ 053/248 604, Fax 248 605. Gratis zirkulierende Monatsmagazine sind nicht nur informativ, sondern enthalten gute Stadtpläne, auf denen neben Sehenswürdigkeiten auch alle Inserenten eingetragen sind. Beste Grundlage also, sich zu orientieren.

10 Fahrminuten vom Zentrum entfernt. Transfer mit Thai Limousine Service oder Tuk Tuk.

Rote Songthaeo verkehren schleppend als Sammeltaxis. Motorradrikschas (Tuk Tuk) findet man zeit- und stellenweise gehäuft, sonst aber sind sie unauffindbar, meist überteuert und fahren außerdem halsbrecherisch. Mit eigenem Transportmittel kommen Sie trotz Einbahnstraßendschungel meist besser und preiswerter zurande. Vermieter für Autos und Mopeds haben sich rund ums Tapae Gate etabliert.

Vorwahl: 053

Die Wahl fällt schwer. Im Prinzip gibt es optisch unattraktive Hotelklötze oder stimmungsvolle Guest Houses, deren traditionelle Bauweise aber dem dramatisch gestiegenen Lärmpegel der einstmals so stillen Stadt oft nur wenig entgegensetzen. Zu Songkhran ist praktisch alles voll, und Sie müssen reservieren oder rechtzeitig anreisen. Gehobene Häuser können außerdem zum Chinesischen Neujahr ausgebucht sein, während billige Guest Houses über die Wintersaison oft belegt sind. In dieser Kategorie allerdings verfügt die Stadt über enorme Auswahl. Soweit nicht anders genannt, haben alle unten beschrieben Häuser Klimaanlage und Pool.

The Regent, ☎ 298 181, Fax 298 189. Chiang Mais einziges wirkliches Luxushotel lässt konzeptionell keine Wünsche offen – der Preis ist allerdings entsprechend. Lanna-Stil-Bungalows, landschaftlich herrlich gelegen, aber 20 km außerhalb. $$$

The Westin, ☎ 275 300, Fax 275 299. Die üppigste Lösung in Stadtnähe bietet schönen Ausblick über den Ping, ist aber deutlich zu groß ausgefallen. $$$

Royal Princess, ☎ 281 033, Fax 281 044. Gehört zur renommierten Dusit-Kette. Gesichtsloses Haus, aber optimal neben dem Night Bazar gelegen. $$$

Amari Rincome, 1 Nimmanhaemin Rd., ☎ 221 130, Fax 221 915. Stilsicher und nett gemacht, aber nur mäßig günstig gelegen. $$$

Chiang Inn, ☎ 270 070, Fax 274 299. Etwas in die Jahre gekommener Turm, dafür gleich am Night Bazar. $$

Pornping Tower, 46–48 Charoen Prathet Rd., ☎ 270 099, Fax 270 119. Noch ein zentral gelegener Tower, dessen Unterbau Chiang Mais heißeste Night Spots beherbergt. Ideal, wenn Sie gerne „einen drauf machen“. $$

River View Lodge, 25 Charoen Prathet Rd. Soi 2, ☎ 271 109, Fax 279 019. Klein, ruhig, zentral und optisch sehr ansprechend am Fluss. Eine von Chiang Mais gelungensten Lösungen. $$

Galare Guest House (Galae gesprochen), 7 Charoen Prathet Rd., ☎ 821 011, Fax 279 088. Hübsche Anlage am Fluss, ruhig und zentral, aber ohne Pool. $$

Prince, 3 Tai Wang Rd., ☏ 252 025, 📠 251 144. Große Zimmer, zentral und dicht bei den Verbrauchermärkten der Stadt gelegen. Atmosphärisch stimmig, vor allem wenn Sie das untouristische Chiang Mai sehen wollen. ($)

Anodard Hotel, 57–59 Ratchmanka Rd., ☏ 270755, 📠 270 759. Nettes, typisches Thai-Hotel, spartanische Zimmer, freundlicher Service mit mäßigen Englischkenntnissen. Ruhig und obendrein zentral. Im Preis-Leistungs-Verhältnis kaum zu schlagen. ($)

Somwang Guest House, 2 Ratchamanka Soi 2, ☏ 278 505. Geräumige Zimmer mit Bad in größerem, ruhig und zentral gelegenem Reihenhaus. Freundlicher und kompetenter Service. Besonders zu empfehlen für Familien mit kleinem Geldbeutel. ($)

Im Mae Sai Valley

Ganz nach alter Weise

Nuat Phaen Boran verspricht die Leuchtreklame auf Thai, und darunter steht „Ancient Massage". Die Damen, die Sie empfangen, sind allerdings keineswegs antik. Ihre manikürten Fingernägel verheißen auch keine ernsthafte Massagetätigkeit. Dennoch nehmen die Dinge vorerst einen völlig sittsamen Verlauf, eine aushängende Preisliste lässt auch nichts anderes vermuten. Gegen Ende der unspektakulär verlaufenden Sitzung wird sich das Mädchen wahrscheinlich jedoch spezieller Körperteile mit besonderer Intensität annehmen wollen und dafür ein „Tipp" erwarten. Bei Ihnen bleibt es, wie Sie dann verfahren.

Bei der klassischen Thai Massage werden in gestreckten Gliedmaßen Druckpunkte angeregt. Das Verfahren ist, fachgerecht angewandt, therapeutisch unbestritten wertvoll, wird jedoch von den meist steifen weißen Leibern als schmerzvoll empfunden. Ursprünglich für den biegsamen südostasiatischen Körper entwickelt, fanden sich vor nicht langer Zeit noch hervorragende Masseure an Bushaltestellen und ähnlichen öffentlichen Orten. Das Wirtschaftswunder machte zahlungskräftige Thais dann fast so fett und steif wie uns, beim Gerenne ums Geld blieb ohnehin keine Zeit, und wozu hatte man schließlich Arzt und Krankenversicherung? Auf die Damenbetriebe für den Entspannungsnotfall glaubte man im Zuge einer allgemeineren Sexualisierung auch schon fast verzichten zu können.

Als der löbliche Beruf bereits in den letzten Zügen lag, wurde er vom westlichen Alternativreisenden entdeckt. In den Touristenzentren findet man heute daher auch seriöse Betriebe und Schulen, während die Wirtschaftskrise auch die weniger seriösen Formen wieder belebte. Die Unterscheidung fällt leicht: Die klassische Form benötigt weder schützende Zwischenwände noch attraktives Personal.

Seite 43

Gap's House Hotel, Soi 4 Ratchdamnoen Rd., ☎ 278 140, Fax 278 140. Klassisches Wohnen in tradtioneller Lanna-Anlage aus Teakholz, in relativ ruhiger Altstadtgasse gelegen. Wenn Sie männlich und allein sind oder nur eine Nacht bleiben wollen, stellt sich der Betreiber allerdings zickig an. Also noch eine prima Option für Paare und Familien auf Sparkurs. $
Daret's Guest House, 4/5 Chaiyaphum Rd., ☎ 235 440. Lauter und rummeliger Treffpunkt der Trekker und Biker. Nicht jedermanns Geschmack, aber womöglich Ihr Paradies, wenn Sie Action suchen. $
Duang Dee House, 14/23–24 Soi Insuan, Maneenoparat Rd., ☎ Fax 219 361, E-Mail <duangdee@iname.com>. Ruhig, außerhalb der nordöstlichen Ecke der Altstadt. Mit Restaurant und Pub, schöner Blick vom Dachgarten. Geführt von einem Berliner, der auch Motorradtouren durch den Norden anbietet und einwandfreie Enduros vermietet. $

Chiang Mais Angebot an internationaler Spitzenküche ist beschränkt. In Sachen Thai- und Regionalgastronomie allerdings schlägt die Stadt selbst Bangkok: Die Auswahl ist so vielfältig und originell, dass Sie die Hotelküche tunlichst meiden und auch nirgendwo zweimal speisen sollten. Fast alle dieser Restaurants führen auch eine – eher mäßige – europäische Palette nebenbei.

Old Chiang Mai Cultural Center, Wualai Rd., ☎ 274 093. Täglich abends Kantoke (s. S. 26). Vorherige Reservierung erforderlich. $$
The Gallery, 25 Charoen Rat Rd., ☎ 248 601. Touristenliebling in altem chinesischen Wohnhaus mit Terrasse und Souvenirshop am Fluss. Für Ausstattung und Essen mehrfach preisgekrönt und von VIPs frequentiert, doch angesichts der Konkurrenz vielleicht etwas überbewertet. Abends in der Hauptsaison Reservierung empfehlenswert. $$
The Good View, 13 Charoen Rat Rd., ☎ 302 764. Gehobene Thai-Küche mit Live Jazz und Rock sowie Blick über den Fluss. Zu vorgerückter Stunde wird getanzt. $$
Antique House, 71 Charoen Prathet Rd., ☎ 276 810. Altes Teakhaus mit Garten, nur ein paar Schritte vom Night Bazar entfernt. $$
Nang Nual, Ko Klang Rd., ☎ 281 961. Etwas außerhalb, aber schön am Fluss gelegen, hat sich das hübsch gemachte Etablissment auf Seafood spezialisiert. $$
Ta Krite (Takrei gesprochen), gleich links neben Wat Phra Sinhg, ☎ 404 371. Gemütliche kleine Speisewirtschaft mit Bar, die zusätzlich zur Karte täglich wechselnde, fantasievolle Spezialitäten anbietet. $$
Kaeng Ron Ban Suan (ausgeschildert links abseits der Chanel Rd., ca. 1,5 km nördlich der Huay Kaeo Intersection), ☎ 221 378. Dezidiert Nordthai und mit Abenteuercharakter: Ameiseneier u. Ä. Die Gartenanlage ist unter Einheimischen populär und liegt günstig, wenn Sie von Doi Suthep kommen. $$
Huan Pen, 112 Ratchamanka Rd., ☎ 277 103. Hält von innen mehr, als es von außen verspricht. Kleine Speisekarte nur mit nordthailändischen Leckerbissen. Probieren Sie das Kaeng Hang Le. $

Regionalküchen

Mit Mai, 42 Ratchamanka Rd., ☎ 275 033. Optisch langweilig, aber mit spannender Küche des Goldenen Dreiecks: insgesamt mild und federleicht, mit einer Liste pflanzlicher Zutaten, die sich wie das Sortiment einer exotischen Großgärtnerei liest. $
Gia Tong Heng, Sridonchai Rd., ☎ 275 242. Große runde Tische und das umfangreiche Menu des unscheinbaren Chinesen neben dem Night Bazar empfehlen sich vor allem für Gruppen – ganz wie in China. $$
Le Gong Kum, Suan Doi House (geht kurz vor der ersten Großkreuzung rechts von Huay Kaeo Rd. ab),

☏ 221 896. Schon allein die vietnamesische Speisekarte ist ein Erlebnis. Im Miniaturdschungel versteckt gut fürs intime Tete-à-Tete. $

Warten auf Kundschaft

Internationale Küche

Le Coq d'Or, Ko Klang Rd., ☏ 282 024. Schwerpunkt des berühmten Franzosen sind Fleischgerichte und Weine. Geschmackvoll in der Kolonialstil-Residenz des ehemaligen britischen Konsuls untergebracht, ist Chiang Mais exklusivstes Restaurant gut geeignet, frisch erworbene Juwelen und Seiden spazieren zu tragen. $$
Pumpui, Mun Meuang Soi 1. Ausländische Residents schwören, er sei der beste Italiener. $
Haus München, Loi Kroh Rd. (am Night Bazar), ☏ 274 027. Der Name verrät alles. $

Seite 43

Bubbles hat sich zum Dance-Floor-Hit der Stadt gemausert. **Hot Shot** wird seinem Namen voll gerecht. Thai-Rock live vor begeistertem, einheimischem Publikum, halb Disko, halb Restaurant. Nichts für Alleinstehende – hier knüpft man keinen Kontakt. Beide finden Sie im Pornping Tower.

Das Kaufhaus Kad Huay Kaeo (siehe unten) verfügt über einen Kinokomplex, wo die neuesten Hollywood-Produktionen im Original laufen.

Orchideenzucht im Mae Sai Valley

Air Port Plaza und **Kad Huay Kaeo** sind zwei Kaufhauskomplexe, wo Sie Markenartikel erstehen können. Etliche gute Shops für Antiquitäten und Stammesprodukte finden Sie in der **Tapae Rd.** Eine exklusive Kollektion hervorragender Seiden für den Deko-Bedarf hat **Villa Cini** gegenüber dem Gallery-Restaurant.

Kantoke Dinner

Route 1

Seite 54

Rund um das Goldene Dreieck

Chiang Rai – Doi Tung – ** Mae Sai/ Tachilek – Goldenes Dreieck – Chiang Saen – Chiang Khong – Chiang Rai (– Phayao – Chiang Mai)**

Chiang Rai preist sich als „Tor zum Goldenen Dreieck" an, auf dem turbulenten Grenzmarkt von Mae Sai/Tachilek lässt sich's trefflich einkaufen, am Goldenen Dreieck blicken Sie über die Flüsse Ruak und Mekhong gleichzeitig auf Thailand, Birma und Laos, erleben Thailands Frühkultur in den bröckelnden Ruinen von Chiang Saen und schnuppern schließlich einen Hauch Laos in der Hafenstadt Chiang Khong.

Diese Route steht in verschiedenen Varianten an der Spitze der Publikumsgunst. Die Ursache ist gewiss nicht in ihrer überragenden Attraktivität zu suchen, sondern vielmehr in der Tatsache, dass Chiang Mais Tourenveranstalter sie in einem sehr gepressten, aber preiswerten Ganztagesprogramm unter dem Etikett „Goldenes Dreieck" vermarkten können. Sofern Sie nicht von quälender Eile geplagt sind, sollten Sie lieber darauf verzichten, sich stattdessen mehr Zeit nehmen (2–5 Tage) und vielleicht sogar ein eigenes Transportmittel ab Chiang Mai wählen.

Chiang Rai

Relativ erfolgreich hat der touristische Newcomer während der letzten Jahre versucht der jüngeren, aber größeren Schwester Chiang Mai den Erfolg streitig zu machen. 1262 von König Mengrai gegründet, entschied er sich später dann doch für Chiang Mai als Zentrum seines Lanna-Reiches, und im Prinzip hat sich an dieser Gewichtung bis heute nicht viel geändert. Chiang Rai ist weder Großstadt noch verschlafenes Nest. Wem Chiang Mai zu laut, Mae Sai aber zu verschlafen ist, mag hier einen Kompromiss finden, um von einer Basis aus das formidable Umland zu erkunden.

Tipp Wirklich interessant wird Chiang Rai in der letzten Januarwoche anlässlich des **Mengrai Festivals** zu Ehren des Gründers, sowie am 3. Wochenende des Mai, wenn die Litschi-Ernte mit einer Messe begangen wird. Zu beiden Anlässen werden Paraden, Ausstellungen, Schönheitswettbewerbe u. Ä. abgehalten. Für eine Besichtigung jedenfalls reicht ansonsten ein Tag in der Stadt am Kok-Fluss.

Kleine Tempeltour

Im ***Wat Phra Kaeo** wurde einstmals der Smaragdbuddha entdeckt, Thailands Nationalheiligtum, das heute im gleichnamigen Tempel Bangkoks residiert. Für den Fundort, dem ein klassischer Lanna-Chedi des 14. Jhs. geblieben ist, wurde 1990 ersatzweise eine sündhaft teure, aber ziemlich exakte Kopie erstellt und mit höchsten Segnungen bedacht. Hier kann man nun sehen, was in Bangkok verwehrt bleibt: den Smaragdbuddha aus nächster Nähe.

Das hübsche **Wat Phra Singh,** ebenfalls mit typischem Lanna-Einschlag, gilt als Fundort jenes berühmten Buddhas, der sich nunmehr im gleichnamigen Tempel Chiang Mais wohl fühlen darf.

Favorit

In zwei Dingen jedoch ist das Stiefkind Chiang Rai dem berühmten Chiang Mai überlegen: als Ausgangsort für Trekkings sowie für wunderschöne Bootsfahrten auf dem Kok nach Thaton (s. S. 66).

1
Seite 54

Wat Phra That Doi Thong bietet einen guten Ausblick über Fluss und Stadt. **Ku Phra Chao Meng Rai,** ein Chedi des Wat Ngam Muang am Stadtrand, schließlich enthält die Asche des Königs, der die Stadt gegründet, aber vermutlich nie geliebt hat.

In Chiang Rai

Gegen Abend lohnt ein Einkaufsbummel entlang der **Phaholyothin Road.** Die Antik- und Kunsthandwerksläden bieten weniger Auswahl als in Chiang Mai – aber vielleicht doch ein Schnäppchen. Zwischen der Straße und auf dem Busbahnhof hat sich mittlerweile auch ein **Night Bazar** etabliert.

Vorwahl: 053

Tourist Office, 448/16 Singhakai Rd., ☏ 717 744, FAX 717 434.

Dusit Island Resort, Kraisorasit Rd., ☏ 715 577, FAX 715 801. Ein optisch reizloser Quader, der aber wunderschön auf einer Insel im Kok River liegt. Ein weiterer Fall vertaner Chancen, aber natürlich luxuriös. Nette Dachbar. $$$
Golden Triangle Inn, 590 Phaholyothin Rd., ☏ 716 996, FAX 713 963. Nett, preiswert und zentral gelegen mit hübsch gemachten Zimmern. $$
Mae Hong Son Guest House, 126 Singhakai Rd., ☏ 715 367, E-Mail <jhversch@ksc.th.com>. Einer der Oldtimer der lokalen Szene. Zimmer mit Bad in einem echten Lanna-Haus, vermietet Bikes mit und ohne Motor, macht gute Trecks. $

Wat Phra Singh

Bierstube, Phahonyothin Rd. Lindert Heimweh. $$
Clodia, 1025/39 Jet Yod Rd. Die örtliche Institution für Pizza und Pasta. $$
Aye's Place, 879–4/5 Phaholyothin Rd. Hier gibt's die besten Steaks in der Stadt. $$

Kok River, Chiang Rai

1

Seite 54

Phetburi, Banphaprakan Rd. Erste Wahl für preiswerte Currys. $

Viel ist nicht los in Chiang Rai. Versuchen Sie es mit einer der zahlreichen Bars der Trapkaset Plaza, zwischen dem Wangcome Hotel und dem Clocktower.

Tipp Martin und Goi, ein Schweizer mit seiner thailändischen Frau Goi, bieten in **Pasang,** 2 km nördlich von Mae Chan am Highway 110, fünf Zimmer und vor allem familiäre Atmosphäre. Neben Thai-Küche gibt es Bohnenkaffee, Käse und frisches Brot! Martin und Goi veranstalten Auto- und Motorradtrecks auch in entlegene Gebiete. (☎ 01/882 7279, Fax 053/771 313, E-Mail <edh@gmx.ch>; $.)

Abstecher zum Doi Tung

Der Highway 110 führt nach Norden bis Mae Sai. Ab Pasang werden die Berge zur Linken immer imposanter. In Huay Khrai biegen zwei Straßen nach Westen hinauf in königliche Gefilde (achten Sie auf entsprechende Kleidung), zum 1420 m hohen Doi Tung („Flaggenberg“) ab. Steile Serpentinen führen an zahlreichen Stammesdörfern vor allem der Akha vorbei – auch ein schöner Motorradtrip. Die ältere Strecke (Nr. 1149) ist schwieriger zu fahren, aber attraktiver, die neue Asphaltstraße bei km 870,5 ist für Anfänger besser.

Einstmals eines von Thailands ergiebigsten Opiumanbaugebieten, hatten die auf dem Berg siedelnden Akha und Lahu bis Anfang der 80er Jahre durch Brandrodung die Hänge vollständig verkahlt. Danach nahm sich die Königinmutter des Doi Tung an, dessen Wiederbegrünung sie während ihrer letzten Lebensjahre besondere Aufmerksamkeit widmete. Straßen und Wasserreservoirs wurden angelegt, um damit den Stämmen als Ersatz für Schlafmohn den Anbau anspruchsvollerer Agrarprodukte zu ermöglichen und dadurch die landwirtschaftlich genutzte Fläche zugunsten der Wiederaufforstung zu verringern. Das bisherige Ergebnis ist überzeugend.

Auf knapp 1000 m hat sich die Königinmutter eine Residenz **(Phra Tham Nak)** errichten lassen, die in Erinnerung an ihre frühere Wahlheimat, die Schweiz, verdächtig nach Art einer überdimensionierten Almhütte mit thailändischem Einschlag geraten ist. Der **Suan Mae Fah Luang** („Garten der Königinmutter“) gleich nebenan hat, wie könnte es anders sein, die Blume als thematischen Mittelpunkt.

Erhabener Standort

Auf dem Gipfel bietet ****Wat Phra That Doi Tung** eine großartige Aussicht. Auf einem unerfreulich steilen Straßenstück darf man die letzten Meter bis zum Tempel fahren, besser jedoch macht sich der Aufstieg über die Naga-gesäumte Treppe. Der Tempel zählt zu den verehrtesten Sakralanla-

Mae Fah Luang Arboretum

An einem sehr weltlichen Fleck wird Ihnen nach dem Rummel am Doi Tung meditative Ruhe zuteil. Die Pflanzungen auf dem Gipfel des benachbarten Doi Chang Mub (1512 m) warten tatsächlich nur mit Bäumen und Bächen auf, was zumindest einheimischen Doi-Tung-Pilgern keinen zusätzlichen Weg wert scheint. Entsprechend sind einige Aussichtsplattformen hier fast immer menschenleer, die Sicht jedoch ist noch eine Idee besser als vom Tempel am Doi Tung aus – auf die Niederungen am Mekhong zur einen sowie über die Berge des Shan-Staates zur anderen Seite. Bei besonders klarem Wetter – wann immer das hier oben herrschen mag, jedenfalls nicht häufig – kann man angeblich bis nach China blicken.

1
Seite 54

gen Nordthailands, König Achaturaj von Chiang Saen soll ihn 911 durch die Niederlegung von Buddhareliquien gegründet haben. Rings um das Gelände verläuft eine Glockengalerie, die von Kindern und Andächtigen fortwährend geschlagen wird. Das kakophonische Gebimmel, das Gewusel von Besuchern und Souvenirverkäufern der Akha und Lahu lässt jedoch weniger einen heiligen Ort, als eher einen Jahrmarkt über den Wolken vermuten. Dennoch wird angemessenes Verhalten erwartet!

Für den Rückweg fahren Sie zurück zum Palast und danach auf einem breit angelegten Highway zum H 110 bei Huay Khrai – von dort geht es entweder Richtung Norden nach Mae Sai oder Richtung Süden nach Chiang Rai.

Auf dem Weg zur birmanischen Grenze

Auf den letzten Kilometern des H 110 biegen, gut ausgeschildert, zwei Straßen nach links ab, die zu den Höhlen **Tham Pla, Tham Luang, Tham** und **Ku Kaeo** führen. Neben Tropfsteinen gibt es Affen, Fische sowie einen sehr alten Prang (Chedi) zu bewundern, der vermutlich von den Khmer an der äußersten Grenze ihres untergegangenen Großreiches errichtet wurde.

** Mae Sai und ** Tachilek

In einheimischen Medien durch regelmäßige Schlagzeilen über die Drogenszene exponiert, durch hektischen Expresstourismus zu einem aggressiven Bauboom provoziert, für den minderjährige, unterbezahlte wie unterprivilegierte Arbeitskräfte Birmas herhalten müssen, wird der erste Eindruck vermutlich enttäuschen. Der überdimensionierte H 110 endet, von Souvenirgeschäften gesäumt, abrupt an einer Grenzbrücke, über der Fahnen Thailands und Myanmars flattern. Tagsüber während der Öffnungszeiten wird sie dicht von Bettlern und fliegenden Händlern belagert.

Wat Phra That Doi Tung

Zwischen Chiang Mai und Chiang Rai

Akha-Dorf nördlich von Chiang Rai

MYANMAR
(BIRMA)
Thanlwin Myit (Salween)
Möng Nai
Wan Hsa-la
Möng Pan
Me-kin
Möng Hta
Nor Lae
1928 Doi Angkhang
Namaklwe
Tham Ngop
Arunothai/ Nong Ouk
Chai Prakan
Na Wai
Huay Nam Dang
Tham Lot
National
Park
Huay Pheung
Mae Aw
Mae Suya
Na Pa Paek
Pha-Sua-Wasserfall
Soppong
Nam Kai
Tham Pla
Nam Rin
Muang Ngai
Chiang Dao
Mo-Paeng-Wasserfall
Pai
Khong
Mae Hong Son
Pong Rong Hot Springs
Huay Nam Dang
Doi Chiang Dao 2185
Tha Pai
Pha Mong
Taeng
Elephant Training Center
Mae Taeng
Pa Pae
Mok Fa Waterfall
Mae Ma Lai
Mae Cha
Wat Chan
Doi Suthep-Doi Pui N.P.
Butterfly Farm
Orchid Nursery
Mae Rim
Mae Surin
Nam-Tok-Mae-Surin-Wasserfall
Mae U Khor
Nam Tok Mae Surin N. P.
Mae Sa Valley Resort
Samoeng
Wat Doi Suthep
Wat Chedi Jet Yod
San Sai
Khun Yuam
Phuping Palace
Wat Umong
Chiang M
Huai Thong
Hang Dong
Saraphi
Tha Hin Som
Mae Na Chon
2595 Doi Inthanon
Doi Inthanon N.P.
Mae Wang
San Pa Tong
Sop Wak
Hua La
Park Hq.
Mae-Klang-Wasserfälle
Borichinda-Höhle
Lamphun
Mae Chaem
Pa Sang
Ping
Mae La Noi
Mae-Ya-Wasserfall
Chom Tong
Mae Tha
Yuam
Pha Pum
Om Khut
Ban Hong
Nakop
Huai Khrai
Mae Sariang
Bua Tong
Mae Sanam
Hot
Pu Suk
Doi Tao
Pang
Soem Nga
Long
2
3

ROUTEN 1, 2 UND 3
0
50 km
LAOS
Mekhong
Goldenes Dreieck
Mae Sai
Tadilek
Doi Tung 1420
Ban Pong
Huay Khrai
Pasang
Mae Chan
Thoed Thai
Mae Fah Luang
Mae Salong
Sam Yaek
Santisuk
Thaton
Wan Hsupyawn
Möng Tum
Chiang Saen
Thung Na Noi
Chiang Khong
Houay Xai
Wiang Khaen
Pang Hat
Chom Phu
Rom Fa Luang
Pa Tan
Phu Chee Fa 1721
Ban Pakkhop
Chiang Rung
Phraya Mengrai
Wiang Chai
Chiang Rai
Kok
Mae Lao
Sop Huai
Mae Suai
Thoeng
Chiang Khian
Chiang Kham
Phan
Pa Daet
Doi Luang
National
Park
Ban Hae
Hae
Rang Kha
Song Khwae
Yam
Chun
Mae Chai
Phayao
Dok Kham Tai
Huai Khian
Pong
Tha Wang Pha
Mae Khajan
Wang Nua
Rai Na Dieo
Pha Cho
Chiang Muan
Nan
Pan Nua
Ngao
Chae Hom
1396 Doi Luang
Pha Thai
Sop Hok
Huai
Wiang Sa
Ban Pa Daeng
Phae
Tan Doi N.P.
Pang La
Tha Si
Song
Nang Khui
Huai Kast
Cham Kha
Yom
Rong Kwang
Na Noi
Lampang
Nong Muang Khai
Mae Tha
Huai Lat
Na Mun
Phrae
Doi Phak Long N.P.
Mae Tha
Lang
Sirikit Reservoir
Sung Men

1

Seite 54

Ihres ursprünglichen Charmes beraubt, sind Mae Sai und seine birmanische Nachbarstadt Tachilek dennoch besser als ihr Ruf und erheblich interessanter, als ein flüchtiger Blick vermuten lässt – der Reiz liegt im Detail.

Tipp Tachilek verfügt über einen 18-Loch-Golfplatz am Stadtrand mit sehr günstigen Green Fees.

Landeswechsel

Zwar sind die Verfahrensweisen noch nicht endgültig geklärt, doch im Prinzip ist Landeswechsel hier nur noch eine Formsache. Sie können Thailand ohne birmanisches Visum offiziell verlassen – und erhalten bei Rückkehr erneut einen Monat Aufenthalt in den Pass gestempelt. Oder Sie hinterlegen eine Fotokopie Ihres Passes bei den Thais (sehr wichtig, wenn Sie den Pass als Pfand bei der Autoanmietung hinterlassen haben oder Ihr frisches Zwei-Monats-Visum nicht annuliert sehen wollen) und dürfen dann tagsüber in Tachilek weilen, aber nicht dort übernachten.

Falls Sie mit Pass einreisen, gestatten die Birmanen organisierte Touren bis an die chinesische Grenze bei Mong La sowie eventuell die Weiterreise in die VR China, sofern Sie über ein chinesisches Visum verfügen. Sie dürfen allerdings nicht ins Innere Birmas, z. B. nach Yangon (Rangoon) oder Mandalay weiterfahren. Der verfahrenstechnische Unterschied liegt in den jeweils auszufüllenden Papieren und zu entrichtenden Gebühren, Dingen, die weiterhin stetem Wandel unterzogen sind.

Ausblicke

Beide Orte verfügen über jeweils einen mäßig interessanten Tempel mit hervorragendem Ausblick auf die Nachbarstadt. Das **Wat Doi Wao** der Thais zeichnet sich durch die Bronze eines Skorpions in Elefantengröße aus, die winzige birmanische **Phaya Kyaw Thong** durch den besseren Fotostandpunkt. Soweit zum Kunsthistorischen.

Der riesige, unübersichtliche **Markt von Tachilek** bietet überwiegend chinesische und einheimische Konsumgüter an, singende Wecker, ratternde Plastikkalaschnikows, spottbillige Adidas-Schuhimitate, original kambodschanische Uniformen u. Ä. Spottbillig sind Zigaretten, entsprechend häufig ist Schwindel – also Packungen bzw. Schachteln anbrechen und nachprüfen! – und Markenschnaps. Eine zweite Angebotspalette ist weniger komisch: Tigerfelle, Bärentatzen, Köpfe von Nebelpardern, Elfenbein, Schlangenhäute, je seltener und international geschützter die Tiere, desto dreister werden ihre Leichenteile verscherbelt. Es ist wie im Horrorkabinett, der Export schon nach Thailand strafbar, von Europa ganz zu schweigen.

Umgekehrt **Mae Sai:** Höchst gesittet reihen sich die Läden in der Hauptstraße und wenigen Seitengassen aneinander, der Löwenanteil der Produkte sind Nahrungsmittel aus Birma, z. B. Heilkräuter, Trockenpilze, Obst sowie Antiquitäten und Kunsthandwerk, ebenfalls aus Birma. Die großen Läden sind eindeutig nicht die besten, einige der kleineren, schon etwas entfernt von der Brücke, erweisen sich beim Kramen jedoch als absolute Fundgruben, die preislich und qualitativ in Thailand fast konkurrenzlos bleiben.

Vorsicht beim Edelsteinkauf

Nirgendwo wird frecher betrogen als hier – auf beiden Seiten der Grenze. Andererseits findet man in Mae Sai entlang des Flussufers links von der Brücke sowie in der Seitenstraße, die vom **Mandalay Shop** an der Hauptstraße abgeht, durchaus sehr reelle Händler für Rubine und Jade, sämtlich aus Birma geschmuggelt. Im Mandalay Shop können Sie übrigens eine Jadeschleiferei besichtigen.

1
Seite 54

Mitten drin im Geschehen

Beim sozialen Erlebnis punktet Tachilek. Nicht nur, dass man hier Gestalten treffen kann, wie sie kein Hollywoodfilm markanter zeichnen würde (und welche die Birmanen deshalb auch nicht über die Grenze lassen), Tachilek hat sich obendrein die löbliche Einrichtung des **Tea Shops** bewahrt. Dabei handelt es sich um Etablissements meist unter freiem Himmel, mit fragilem Mobiliar, wo sich Jugendliche, durchreisende Geschäftsleute, Taugenichtse und Regierungsspitzel zum Plausch treffen, in den Ausländer gerne einbezogen werden. Ton und Inhalt der Gespräche sind meist verbindlicher, angenehmer und vor allem aufschlussreicher, als man das aus Thailand gewohnt ist. Den akustischen Hintergrund bildet birmanische Heavy-Metal-Musik, die unseren Ohren meist vortrefflich bekommt, gastronomisch sind Tee, Kaffee und vorwiegend pikante Teilchen ihren Thai-Varianten ebenfalls überlegen. Probieren Sie mal *nambya*, im Steinofen gebackene, heiß servierte Fladenbrote.

Für solide Basisnahrung sollten Sie jedoch nach Thailand zurückkehren. Die dortigen Steaks und Currys fallen nicht nur leckerer, sondern hygienisch zuverlässiger aus.

Vom Preis-Leistungs-Verhältnis her stechen auch die Unterkünfte des Königreiches, allerdings verödet Mae Sai mit der Abfahrt der letzten Tourenbusse, wenn schlagartig alle Geschäfte schließen und außer einem Pulk von Bordellen (auf Hinweisschildern als Ancient Massage angepriesen) und Karaoke-Bars (läuft aufs Gleiche hinaus) nichts mehr bleibt. Die Tea Shops von Tachilek hingegen sind noch nachts geöffnet.

Wang Thong, Mai Sai, kurz vor der Brücke, ☎ 053/733 388, FAX 733 399. Langweiliger Betonklotz mit üblichem Komfort inklusive Pool. Hier nächtigen vor allem Gruppen. $

Grenze zu Myanmar (Birma)

Mae Sai, der nördlichste Punkt Thailands

Wat Doi Wao

1
Seite 54

Mae Sai Guest House, Mai Sai, 2 km links von der Brücke, letzte Anlage am Flussufer, ☎ 053/732 021. Hübsche Bungalows mit nettem Restaurant, die schönste Anlage in Mae Sai. Jeder Bungalow mit Balkon nach Birma. Ideal für Fotografen. $$

Jo Jo, Mae Sai, an der Hauptstraße. Gutes europäisches Essen, erstklassige Currys und vielsprachiges, kompetentes Personal. Schließt spätestens bei Sonnenuntergang! $

Rabieng Kaeo, Mae Sai, an der Hauptstraße. Stimmungsvoller Laden für abends. Passables europäisches und gutes Thai-Essen. $$

Tipp **Uwe & Bom Homestay,** 11/2 Mu 9, Ban Bong, 14 km südlich von Mae Sai, ☎ 053/709 747, FAX 763 027, E-Mail <uwethailand@gmx.net>. Familiär: 2 Zimmer, 1 Bungalow, Thai-Küche und Sprachunterricht. Uwe kennt sich gut aus und veranstaltet viel versprechene Motorradtrecks. $

Interessante Touren in der Umgebung und auch Birma veranstaltet auch **King Kobra Guest House** (☎ 053/733 055, E-Mail <kkmaesai@loxinfo.co.th>).

Das Goldene Dreieck

The Golden Triangle bezeichnet den Zusammenfluss von Mekhong und Ruak. Unter Ihren Füßen Thailand, sehen Sie vor sich den Ruak, dahinter einen Zipfel Birma, auf dem sich ein Spielkasino erhebt, dann den Mekhong – und dann nichts als laotische Wälder. Hinter dem Aussichtspunkt reiht sich Imbissstand an Souvenirshop. Dazwischen das **House of Opium,** ein nett gemachtes Privatmuseum, das einiges zum Anbau, wenig zur Geschichte und (sicherheitshalber) nichts zur Gegenwart des Schlafmohns zeigt.

Die Aussicht genießen, einen Kaffee trinken und weiterfahren, mehr bleibt kaum zu tun. Alle naselang werden Boat Trips angeboten: Mit dem Speedboat eine Schlaufe über Birma drehen, Shoppen auf einer Flussinsel in Laos – wirklich nicht aufregend und kaum das Geld wert, es sei denn, sie möchten eine Ansichtspostkarte mit Lao-Marke und -Stempel verschicken.

Le Meridien Baan Boran, ☎ 053/784 084, FAX 784 090, E-Mail <lmbboran@loxinfo.co.th>. Das gediegenste Hotel der Region, aus Teak gebaut, an stiller Stelle knapp über dem Goldenen Dreieck gelegen, mit eigenem Elefantenstall vor der Tür. $$$

Suan Fin (Opium Garden). In der Bar „Traffickers Rendezvouz" wird der Mythos neckisch ausgeschlachtet. $$$

Chiang Saen

Einen Hauch echter zeitgenössischer Romantik spürt in einer der ältesten Städte Thailands, wenn nicht der ältesten überhaupt. Angeblich von einem Großenkel Mengrais 1328 gegründet und zweite Hauptstadt Lannas, künden die Quellen aus der Blütezeit des Ortes von 75 Tempeln innerhalb seiner Mauern und weiteren 66 drumherum. Etliche stehen noch, erfreulicherweise gar nicht oder kaum restauriert, und so konnte die Nachwelt ermitteln, dass manche davon deutlich älter sein müssen als die Stadt und möglichweise das erste Eintreffen der Thais in Thailand etwa im 9. Jh. markieren. Unter gras- und baumbestandenen Wällen verschwunden sind die alten Stadtmauern und -tore. Wo die Schutzschicht stellenweise entfernt wurde, kommt das alte Gemäuer zum Vorschein – bemoost, schief und bröselnd, gerade in ihrer Hinfälligkeit anziehend, präsentieren sich die Tempelruinen.

Die Bauten der ersten Thais

Wat Chedi Luang wird auf die Zeit der offiziellen Stadtgründung datiert. Mit 28 m Höhe ist sein wuchtiger, achteckiger Chedi im Lanna-Stil der größte er-

1

Seite 54

haltene Chedi. Flankiert wird er von den völlig morbiden Mauern des Bot, der einen hochverehrten Buddha enthält. Obwohl die Wandreste jeden Moment einzustürzen drohen, finden sich doch täglich zahlreiche Gläubige zum Gebet in der malerischen Halle ein.

Das empfehlenswerte **Nationalmuseum** auf der anderen Seite (🕓 tgl. 9–16 Uhr) zeigt eine hochkarätige Kollektion von Stelen, Bai-Sema-Steinen und Buddhastatuen aus der wechselvollen, durch lange birmanische Okkupation gekennzeichneten Stadtgeschichte sowie Trachten und Gebrauchsgegenstände der nahen lokalen Minoritäten. Mehrere Pavillons auf der gegenüberliegenden Straßenseite, die nicht zum Museum gehören, informieren über Verteilung und Zustand der Anlagen in und um Chiang Saen, hier erhält man Pläne und Broschüren.

Wat Paa Sak vereint Stilelemente der Mon, Birmanen sowie der frühen Chiang-Saen-Epoche und zählt zu den elegantesten antiken Tempelbauten des Nordens. Es wurde vermutlich bereits vor der Stadtgründung errichtet, ebenso wie das schöne **Wat That Chom Kitti,** von dem aus man eine guten Ausblick über den Mekhong hat.

Tipp Besonders reizvoll sind die vielen alten Tempel der Stadt bei nächtlichen Mondscheintouren, wenn Chiang Saen bereits in tiefem Schlaf liegt und das Bootsgetöse vom Mekhong schon lange verstummt ist.

Blick über Tabakfelder nach Laos

An den Piers

Tagsüber lohnt sich ein Aufenthalt an den Piers, wenn Lkws Fracht verladen und Schiffe aus Laos, Birma und China eintreffen. Mit Einbruch der Dunkelheit eröffnen entlang der Uferpromenade zahlreiche Imbissstände, die anstelle von Stühlen Matten als Sitzfläche anbieten. Obwohl Chiang Saen gute Restaurants

Goldenes Dreieck: Blick von Thailand auf Birma (links) und Laos (rechts)

Seite 54

hat, fallen diese späten Picknicks doch deutlich atmosphärischer aus und tragen sehr zur angenehmen, entspannten Ausstrahlung des Ortes bei.

Tipp Von Chiang Saen wie auch von Chiang Khong (s. unten) werden Bootstouren in die autonome Shan-Republik Sipsongpanna in China angeboten. Preise, Termine und sonstige Bedingungen (nicht immer werden Europäer mitgenommen) sind steten Schwankungen unterworfen.

Gin Guest House, am nördlichen Ortsrand direkt an der Straße. Bungalows im Garten, vermietet Transportmittel, arrangiert Trips, sehr nette einheimische Betreiber. $

Etwas außerhalb entlang der Straße nach Norden findet man am Fluss eine Reihe erfreulicher, einheimischer Speisewirtschaften mit thailändischer, laotischer und chinesischer Küche. Authentische Nordthai-Küche serviert **Saam Ying** zwischen Markt und Wat Chedi Luang an der Hauptstraße, es wird allerdings nur Thai verstanden! $

Chiang Khong

Nach der zögerlichen Öffnung Laos vor einigen Jahren hat der bis dahin legendär müde Mekhong-Hafen Wiederbelebung und Bauboom durchlaufen. Beides hat dem touristischen Reiz nicht gut getan, dennoch weht der alte Wind süßer, freundlicher Schläfrigkeit noch immer durch die Straßen und verschafft all jenen eine Kostprobe des typisch laotischen charmanten Schlendrians, wie ihn der Mekhong hier ans thailändische Ufer spült. Falls Sie mehr davon wollen, verschafft man Ihnen gegen Gebühren ein Visum fürs Nachbarland, das selbst dann erforderlich ist, wenn Sie nur mal kurz in die gegenüberliegende Schwesterstadt Huay Xai schauen wollen.

Ansonst erlebt Chiang Khong einen täglichen Andrang von Hmong und Mien aus der näheren Umgebung sowie vom Nachbarland, die **Morgenmärkte** sowie der **Freitagsmarkt** sind recht abenteuerlich.

Tipp Westlich von Chiang Khong können Sie **Thung Na Noi** besuchen, ein angenehm konservatives Hmong-Dorf, wo sie einen einheimischen Guide zum Huay-Tong-Wasserfall heuern können.

Ruan Thai Sopaphan Lodge, Sai Klang Rd., ☎ 053/791 023, E-Mail <sopaphan@gmx.net>. Imposantes Teakhaus am Ufer mit Blick auf Laos, das an sich schon die Fahrt nach Chiang Khong lohnt. Konkurrenzlos unter den hiesigen Quartieren. $$

Ban Fai an der Hauptstraße verkauft schöne Textilien der Thai-Lue-Minorität.

Landschaftserlebnis

Eine landschaftliche außerordentliche attraktive Straße führt Sie weg vom Mekhong, der kurz hinter Chiang Khong zu einer weiten Schleife durch Laos ausholt, und bringt Sie durch zahlreiche Dörfer der Hmong und Mien, die hier überwiegend vom Schmuggel (Drogen, aussterbende Tiere) mit Laos leben, hinauf in die Berge. Ziel ist

Auf Fischfang

Turbulent wird es in Chiang Khong zur April/Mai-Wende, wenn in Ban Hat Khrai, 2 km südlich, Mekhong-Welse (Pla Beuk) gefangen werden. Der Welt größter Süßwasserfisch, bis 3 m lang und 6 Zentner schwer, gilt als absolute Delikatesse und zieht Scharen einheimischer Leckermäuler an. Selbstverständlich vom Aussterben bedroht, wurden strenge Fangquoten und -zeiten verordnet. Ob diese ausreichen, den Bestand zu sichern, bleibt fraglich.

Seite 54

das Hmong-Dorf **Rom Fa Luang.** Ein kurzer Aufstieg von dort führt zum ** **Phu Chee Fa** (1400 m), einer steilen Felsklippe, die lotrecht hunderte von Metern nach Laos abfällt. Gäbe es dort eine Immigration, könnten Sie wunderbar per Fallschirm einreisen ... Die Aussicht, vor allem über die treibenden Nebelbänke zu Tagesanbruch, ist grandios, eignet sich aber vor allem für Schwindelfreie.

Sie können, je nach Kraft und Transportmittel, zum Ende der Tour in einigen einfachen Resorts in Rom Pho Thong übernachten, nach Chiang Rai zurückkehren oder über Phayao nach Chiang Mai bzw. die Route 5 (siehe S. 86 ff.) anschließen.

Phayao

Die nur gelegentlich vom Fremdenverkehr heimgesuchte Provinzhauptstadt erstreckt sich am Ufer eines großen, teilweise mit Wasserhyazinthen bedeckten Sees mit einer Bergkette im Hintergrund – ein ansprechendes Panorama, das für eine Übernachtung immer gut ist.

Wat Sikhom Kham empfiehlt sich zur Stippvisite. Ein 17 m Höhe messender, 400 Jahre alter, hochverehrter Buddha ist umgeben von einer Reihe moderner, sehr kitschiger Himmel-und-Hölle-Plastiken, nach zeitgenössischer Thai-Philosophie von Hollywoodfiguren inspiriert. Ein moderner Viharn, schön am See gelegen, wurde mit bemerkenswert guten zeitgenössischen Fresken geschmückt. Phayao wurde möglicherweise noch vor Chiang Saen gegründet, das heutige Image der Stadt wird allerdings durch den Mädchenhandel bestimmt. Kein anderer Ort Thailands stellt mehr Prostituierte.

Siri Phan, ☏ 054/431 319. Bungalows und Hotel, am Fluss. ($)

Von den Restaurants an der Uferstraße werden Sie wunderbar mit Essen versorgt.

Einer der mächtigsten Ströme Asiens: der Mekhong

Silberschmuck der Hmong

Mohn, die berühmt-berüchtigte Pflanze des Goldenen Dreiecks

Drogen und das Goldene Dreieck

Die Zahlen sind ungenau, aber die Tendenz bleibt eindeutig. Die gemeinsame Grenzregion zwischen China, Birma, Laos und Thailand produziert 60–90 % des asiatischen Heroins und etwa 80 % der in Asien vertriebenen Amphetamine (Speed, Extacy). Das entspricht grob einem Weltmarktanteil von 50 % und das wiederum einem einsamen Spitzenplatz – auch dann, wenn Sie nichts davon bemerken. Angesichts der Wirtschaftskrise in Südostasien steigen die Umsätze ebenso stetig wie die Bekämpfungsbemühungen.

Der Schlafmohn, *Papaver somniferum*, eine Kulturpflanze des arabischen Raumes, wird erst nach Beginn unserer Zeitrechnung in China eingeführt und sein Konsum dort wegen der verheerenden sozialen Konsequenzen unter Strafe gestellt. Nach den „Opiumkriegen" 1830/32 muss das unterlegene China sich verpflichten, von der Siegermacht Großbritannien in ihrer Kolonie Hinterindien erzeugtes Opium zu Wucherpreisen aufzukaufen. So werden die in Südchina siedelnden Bergstämme mit dem Anbau von Schlafmohn vertraut. Sie beginnen in dieser Zeit eine Wanderung nach Süden, die sie in die noch weitgehend unbesiedelten Bergregionen von Thailand, Birma und Laos führt. Dort finden sich für den Mohnanbau ideale Bedingungen: steile Hänge, heiße, sonnige Tage, feuchtkalte Nächte, lange Trockenperioden.

Der Mohn, ursprünglich nur für den Eigenbedarf der Stämme angebaut, wird am Ende der Regenzeit auf Brandrodungsboden gesät, steht je nach Höhenlage zwischen Dezember und Februar in voller Blüte, prachtvoll in weiß, rot und violett. Die fleischig-grünen Kapseln werden bei Tagesanbruch mit scharfen Klingen geritzt, der austretende weiße Saft gerinnt in der Mittagshitze zu einem dunkelbraunen Harz, dem Rohopium, das nachmittags mit Sicheln von der Kapsel gekratzt wird.

Opium als neue Erwerbsquelle

Als die Truppen Mao Tsetungs 1949 den chinesischen Bürgerkrieg gewinnen, sieht sich ein Teil der nationalchinesischen (Kuomintang, KMT) Einheiten im Südwestzipfel Chinas eingekesselt. Die 93. KMT-Division marschiert darauf kurz entschlossen in das gerade von den Briten in die Unabhängigkeit entlassene und politisch instabile Birma ein. Nach heftigen Kämpfen drängen die Birmanen die KMT zwar an die thailändische Grenze, doch hatten diese bereits feste Seilschaften etabliert, die dem Kredo des KMT-Chefs General Tuan Shi Wen folgen: „Für den Krieg gegen die Kommunisten braucht man Waffen. Waffen kosten Geld. Das einzige, womit man in dieser Gegend Geld verdienen kann, ist Opium."

Die amerikanischen Geheimdienste sehen Tuan Shi Wen zu Beginn des US-Krieges in Indochina als wertvollen Verbündeten und überzeugen ihre thailändischen Kollegen Anfang der 60er Jahre, die KMT-Truppen an Thailands Grenze einzusetzen. Die Bergstämme wiederum, die sich traditionell von der Jagd ernährten, spüren gleichzeitig erste Verknappung des Wildes und suchen neue Erwerbsquellen. Damit wächst eine unheilige Allianz zwischen thailändischen, laotischen und amerikanischen Regierungsvertretern sowie Stammesfürsten des Goldenen Dreiecks, die eine erste Opiumwelle hervorruft. Chemiker aus Hongkong lehren in der Bergwelt erstmals das Verfahren, aus Rohopium Heroin zu raffinieren, das ungleich stärker und dadurch auch leichter zu schmuggeln ist.

Drogenbaron Khun Sa

Als die US-Verwicklungen in den Drogenhandel ruchbar werden, verlagert die KMT ihre Produktion zunehmend von Thailand in das von der Welt abgeschottete Birma.

Die enormen Gewinne rufen schon bald den Neid örtlicher Potentaten hervor, darunter ein shan-chinesischer Mischling namens Chiang Si Fu. Unter dem Kriegsnamen Khun Sa sammelt er lokale Milizen und macht den Chinesen ab 1967 das Geschäft streitig. In den folgenden 15 Jahren zerschlägt er die KMT und errichtet ein gewaltiges Drogenimperium, das er von seinem Hauptquartier Thoed Thai in der Provinz Chiang Rai kontrolliert. Als Thailands Norden bereits geschlossen nach seiner Pfeife tanzt, liefert ihm die Armee 1982 eine mehrtägige Schlacht und vertreibt ihn über die Grenze nach Birma. Von seinem neuen Hauptquartier nahe der Provinzhauptstadt Mae Hong Son deklariert er sich zum Anführer des Unabhängigkeitskampfes der Shan und erweitert seinen Einfluss bis nach China und Nordvietnam. Die USA setzen ein Kopfgeld in Höhe von 2 Mio. Dollar auf Khun Sa aus, worauf er aus Angst vor Verrat völlig überraschend Anfang 1996 Frieden mit Birma schließt und nach Yangon in den Ruhestand geht.

Die Wa übernehmen den Drogenhandel

Die Wa, im nördlichen Shan-Staat Birmas nahe der chinesischen Grenze heimisch, wurden von Mao Tsetung lange als Vorposten gegen die KMT gehätschelt. Mit chinesischen Waffen versorgt, behaupteten sie eine Sicherheitszone entlang der chinesischen Grenze. Als Deng Xiao Ping den Wa schließlich die Unterstützung entzog, wandten sie sich, ideologisch höchst flexibel, dem Drogenhandel zu. Mit Rückendeckung der Birmanen bekämpften sie erst Khun Sa, um nach dessen Aufgabe seine Stellungen zu übernehmen. Eine mehrere 10 000 Mann starke, bis an die Zähne bewaffnete Wa-Armee, hauptsächlich aus minderjährigen Lahu, Akha sowie den Überresten von Khun Sas Shan-Truppen rekrutiert, hält heute weite Teile des birmanischen Grenzgebietes zu Thailand und China besetzt und betreibt von hier den Handel mit Heroin sowie neuerdings auch Speed (thail. Ya Ma) und Extacy (thail. Ya Ee). Für die schlecht versorgten birmanischen Truppen bilden die Wa einen nahezu unschlagbaren Gegner.

Soziale Folgen

Nachdem Heroin in Thailand schon lange als Droge der Unterprivilegierten verbreitet ist, fand das Aufputschmittel Ya Ma über Stressberufe (Fernfahrer) schnell seinen Weg zu Thailands hipper Jugend, die im Boom der frühen 90er Jahre über reichliche Geldmittel verfügte. Die aktuelle Wirtschaftskrise hat Thailands Lust an Drogen noch deutlich verstärkt.

Die Bergstämme in Thailand wiederum, schon immer miserable Bauern, sehen im Schlafmohnanbau trotz drakonischer Strafen und vielfältiger Alternativprogramme weiterhin eine besonders verlockende Einkommensquelle. Daran ändert auch die Tatsache nichts, das insbesondere ihre eigenen Kinder zunehmend nicht nur Produzenten, sondern auch Konsumenten werden.

Die Bergstämme Birmas hingegen haben von ihrer Regierung erfahrungsgemäß nichts Gutes zu erwarten und geben der Werbung oder notfalls auch dem Druck der Wa recht bereitwillig nach, ihre Söhne der Guerilla zu überstellen. Und so werden auch in der nächsten Saison Tausende von Wa-Armisten Opiumfelder, Drogenküchen und Transportwege zu thailändischen Grenze sichern, wo Tausende thailändischer Bergstammsöhne bereitstehen, das kostbare Gut um Hunderte von Kontrollposten herum bis nach Chiang Mai oder Bangkok zu schmuggeln, von wo aus die Drogen den Weltmarkt erreichen. In absehbarer Zeit sind Lösungen kaum zu erwarten.

Route 2

2

Seite 54

Elefanten, Flöße und ein „Friedensdorf"

Chiang Mai – Chiang Dao – Thaton – * Mae Salong

Chiang Dao wartet mit Elefantenshow und Tropfsteinhöhlen auf. Am Doi Angkhang können Sie einen Blick in den Garten Eden werfen. Thaton mit einer wunderschönen Lodge ist Ausgangspunkt mehrtägiger Floßfahrten. Mae Salong zeigt sich in einem ausgeprägt chinesischem Gewande; auf dem farbenfrohen Markt treffen sich die Bergstämme der Umgebung. Planen Sie für die Route zwei bis drei Tage ein (bis Thaton sind es ohne Abstecher auf dem Highway 179 km).

Chiang Dao

56 km nördlich von Chiang Mai, erwartet Sie, gleich rechts von Highway und gut ausgeschildert, das **Chiang Dao Elephant Training Center.** Jeden Morgen um 9 Uhr präsentieren die grauen Riesen hier das kleine Einmaleins des Arbeitselefanten. Bevor Sie den ersten Dickhäuter zu Gesicht kriegen, müssen Sie auf einer höchst wackligen Hängebrücke den Ping-Fluss überqueren. Nachdem die Tiere gebadet und ihre Virtuosität im Umgang mit Baumstämmen demonstriert haben, kann man auf ihrem Rücken eine Runde drehen oder sich auf dem Bambusfloß ein Stück den Ping hinabschiffen lassen.

Trekking

Chiang Dao empfiehlt sich auch als guter Ausgangspunkt für Trekkings zu Lahu-, Lisu-, Hmong- und Karen-Dörfern rund um den Berg.

Höhlenfreunde werden den **Chiang Dao Caves** am Nordrand der Stadt noch einen Besuch abstatten mögen. 10 bis 14 km lang soll sich das gewaltige und noch nicht gänzlich erforschte Höhlensystem in den gleichnamigen Berg (2285 m) hinein erstecken. Ein Teil der Höhlen ist beleuchtet, für einen weiteren Teil stehen Guides zur Vergügung. Festes Schuhwerk und eine gute Lampe sind Standardausrüstung.

Blick in den Garten Eden

Von der Nationalstraße 107 biegt kurz vor Fang eine Straße zum Doi Angkhang ab. Im * **Royal Angkhang Agricultural Station** demonstrieren Thailands Landwirtschaftsexperten, was sie wirklich draufhaben. Die Ergebnisse sind bemerkenswert. Das mehrere Qudratkilometer umfassende Gelände ist bis ins letzte Detail akribisch durchkonzipiert und vereint modernste Forschung mit einem grandiosen Sinn für das optisch Ansprechende. Neben pedantisch angelegten Blumenbeeten, finden sich üppige Obstgärten, Gemüsepflanzungen, Zuchtanlangen für Orchideen, Bonsais und Kakteen, Steingärten sowie eine Sonderabteilung für Heilpflanzen, in der sich auch das berühmteste Produkt der Region, der Schlafmohn, wiederfindet und ausnahmsweise ein legales Dasein führt. Brücken, Pavillions, plätschernde Bäche, Ziersträucher und ähnliche Accessoires vereinen die ganze Anlage zu einem ausgesprochen erfreulichen Lehrpark, in dem auch fast alles beschriftet ist. Als besonders gelungen fällt ein Blumenmarkt nahe des Eingangs ins Auge, dessen Farbenpracht seinesgleichen sucht.

Das Royal Project legt seinen Schwerpunkt auf Gewächse kühler Klimazonen – die Temperaturen können in Winternächten bis auf den Gefrierpunkt fallen –, und so gedeiht für Thailand absolut Ausgefallenes, wie Himbeeren, Heidelbeeren, Kiwi, Zwetschgen, Pfirsiche, Birnen, Kirschen oder Rotkohl.

Ein Markt vor den Toren bietet frische Produkte der Saison feil, vor allem aber Kandiertes und sauer Eingelegtes. An den zahlreichen Ständen dürfen Sie gerne vorher kosten.

Dok Moey Guest House. Links vom Eingang der Farm in den Hang gebaute, ziemliche primitive Bungalows mit Bad, aber ohne Warmwasser, deren Reiz neben der Aussicht vor allem in einer Feuerstelle vor jedem Bungalow besteht. Fliegende Händler verkaufen Feuerholz, am Wochenende kommen reichlich Einheimische, nachts kann es dann recht lautstark zugehen. $

Angkhang Nature Resort, ☎ 053/453 515, FAX 453 520 (in Bangkok: ☎ 02/267 9711, FAX 255 5707. Luxusanlage mit Hotel und Bungalows, der jedoch Pool und Fantasie abgehen, rechts vom Eingang der Station am Hang. $$$

Einer der Hauptstützpunkte der Wa, die ungeladene Gäste gar nicht schätzen, befindet sich nur eine Fußstunde von der Farm entfernt, gleich jenseits der (nicht markierten) Grenze zu Birma – meiden Sie also Fußmärsche ins Blaue, es könnte richtig gefährlich werden.

Fang

Das einstige Fürstentum konnte sich nichts von seiner Vergangenheit erhalten. Doch ist der Ort eine gute Basis für Trekkings rund um den Doi Angkhang, zu Bergstammdörfern und heißen Quellen.

Fang Garden Guest House, ausgeschildert in einer Seitenstraße links vom Highway 107, 9 km südlich von Fang, ☎ 053/453 220. Etwas schlampig

In der Chiang-Dao-Höhle

Auf Schusters Rappen

Ein ausgeschilderter Wanderweg knapp unterhalb des Gipfels von Doi Angkhang führt durch dichte Rhododendronhaine. Ein Stück weiter bieten das Lahu-Dorf Kob Dong sowie das Palong-Dort ** **Nor Lae** zwei spektakuläre Aussichtspunkte. Kob Dong blickt auf das tief im Tal verborgene Fang hinab, Nor Lae über die nur wenige Fußminuten entfernte birmanische Grenze hinweg auf die weiten Bergketten des südlichen Shan-Staates. Die Palong von Nor Lae sind scheu, gehen Sie daher rücksichtsvoll mit ihrer Kamera um.

2
Seite 54

geführte Zimmervermietung, die jedoch unter dem Namen *Crocodile Dundee* gute Treks veranstaltet. Bietet sich an, wenn Sie mit öffentlichen Verkehrsmitteln direkt von Chiang Dao kommen und sich den Zauber Doi Angkhangs nicht entgehen lassen wollen. $

2

Seite 54

Thaton

Der kleine, eigentlich unscheinbare Flecken liegt wunderschön eingebettet ins Flusstal des Mae Kok, nur einen Steinwurf von der Grenze entfernt, und zieht täglich Stammesvolk der Umgebung zum Shoppen an.

Liebevoll-kitschig wurde * **Wat Thaton** oberhalb des Ortes zu einer Art buddhistischen Mini-Disneyland ausgebaut, mit Chedis und Buddhastatuen in thailändischem, birmanischem und chinesischem Stil diverser Epochen. Die massiven weißen und goldenen Gebäude und bunten Figuren leuchten bis zu den schwer umkämpften Gipfeln Birmas und künden von Frieden, Nahrung und Krankenhaus – eine symbolträchtige Wirkung jenseits der Grenze. Besonders schön ist der Tempelbesuch bei Tagesanbruch, wenn die Frühnebel noch über dem Kok wabern.

Warnung: Die Pfade hinter dem Wat führen direkt und ungesichert nach Birma, gehen Sie keinesfalls in diese Richtung. Das Grenzgebiet hier ist zwischen Thais, Birmanen sowie den Rebellen von Wa und Shan umstritten und zweifelsfrei gefährlich!

In Thaton starten die Floße und Boot nach Chiang Rai. Wenn Sie also auf Mae Salong verzichten wollen, können Sie in Chiang Rai direkt mit Route 1 anschließen.

Maekok River Lodge, ☎ 053/459 328, Fax 459 329, E-Mail <tiger@loxinfo.co.th>. Das schöne Holzhotel direkt am Ufer des Kok bietet Trekkings, Kanu, Rafting, Mountainbiking u. Ä.; empfängt allerdings viele Gruppen und ist daher bisweilen etwas rummelig. $

Apple Guest House, ☎ 053/373 355. Schöne Gartenbungalowanlage, gutes Essen. $–$

Tipp **Thaton Tours,** bei der Bootsstation, ☎ Fax 053/373 143, E-Mail <rafting@gmx.net>. Organisiert gute Raftingtouren auf dem Bambusfloß nach Chiang Rai (unterwegs eigenes Camp am Fluss mit heißen Quellen) sowie gute Trecks in die nähere Umgebung.

Ab aufs Floß

Von Thaton starten Floße und Boote nach Chiang Rai, die Fahrt zwischen den Bergen des hohen Nordens zählt zu den schönsten, mit denen Thailands Binnengewässer aufwarten, und gewiss ist sie die populärste. Die meisten Touristen kommen nur nach Thaton, um sich unverzüglich aufs Wasser zu begeben. Die Floßfahrt dauert je nach Strömung und Wasserstand 2–3 Tage, das Schnellboot – ein lautes Longtail – rund 5 Stunden. Wenn Sie sich für die Floßfahrt entscheiden, prüfen Sie die Angebote in Thaton genau, rechnen Sie wegen zahlreicher Stromschnellen mit einem insgesamt feuchten Erlebnis – weshalb Sie entsprechend ausgerüstet und sportlich veranlagt sein sollten. Aber auch im Schnellboot sollten Sie ihre Kameraausrüstung wasserfest verpacken.

* Mae Salong

Hinter Thaton geht es steil bergauf. Gut zwei Dekaden residierten die Zaren des Drogenhandels in der luftigen Höhe, bis ihnen der Newcomer Khun Sa Anfang der 80er Jahre nach blutigen Auseinandersetzungen schließlich die Krone raubte. Offiziell haben die Thais den Ort **Santikiri** („Friedensdorf") getauft, doch der alte Name hat sich ebenso be-

Seite 54

hauptet wie die alten Gebräuche. Kein Platz in Thailand hat ein so klassisches chinesisches Gepräge, und wenn die alten Damen mit den eingebundenen Füßen nun auch fast ausgestorben sind und Satellitenschüsseln auf beinahe jeder Hütte thronen, hat sich Mae Salong ansonsten gegenüber dem Zahn der Zeit ebenso immun erwiesen wie gegenüber den thailändischen Integrationsbemühungen. Die meisten Einwohner tun sich weiterhin schwer, auch nur fünf zusammenhängende Worte auf Thai zu sagen, man spricht und schreibt lieber Mandarin und wartet ansonsten auf den Zusammenbruch des Kommunismus im Mutterlande.

Maekok River Lodge in Thaton

Mae Salong ist stark chinesisch geprägt

Orte der Besinnung

Auch Mae Salong verfügt über seinen symbolträchtigen Tempel, von birmanischer Seite gut sichtbar: **Phra Borom That Chedi** sowie das eine Treppenflucht tiefer liegende **Wat Santikiri** überragen den Ort und signalisieren in ihrem klaren Thai-Stil den Chinesen täglich, in wessen Land sie leben, auch wenn es ihnen nicht passt. Besucher kommen nur sporadisch herauf, dabei hätte insbesondere Phra Borom That Chedi durchaus mehr Aufmerksamkeit verdient. Ganz in Grau und Gold gehalten, entfaltet der hochmoderne Bau eine kühle Eleganz. Deutlich lebendiger wird es bei den Tempeln allerdings, wenn zur Blüte der japanischen Kirschbäume scharenweise Thais zur Stippvisite anrücken.

Ein täglicher Markt am Ortsrand orientiert sich zwar ausschließlich am Touristen, macht aber dennoch Freude. Akha- und Lisu-Frauen bieten Handarbeiten an, Chinesen Kitsch aus dem Reich der Mitte, von Qi-Gong-Kugeln bis zu roten Laternen. Ihren Preis unbedingt wert sind Produkte des lokalen An-

Für Abenteurer

In den Grenzgebieten zu Birma, um Pian Luang, Arunothai, Hin Taek und Hua Mae Kam sowie im wundervollen Wawi-Tal kann man in einer traumhaft schönen Landschaft Trekkings, Jeep- oder Motorradtouren machen – aber ausschließlich in Begleitung eines sehr guten Guides. Sollte Sie also die Abenteuerlust packen, wenden Sie sich beispielsweise an Martin und Goi in Pasang (s. S. 52) oder an Uwe in Ban Pong bei Huay Khrai (s. S. 58) und schmieden Sie Pläne …

baus: Tees, Heilkräuter und Kräuterschnäpse sowie hervorragende Trockenpilze, die Ihrem nächsten selbst gekochten Chinagericht bestechende Authentizität verleihen werden.

2

Seite 54

Tipp Rund um Mae Salong liegen gut erreichbar Dörfer der Hmong, Akha, Lisu und Lahu, die allesamt wohlwollend freundlich und auf Fremdenverkehr innerlich eingestellt, gleichzeitig aber auch noch erfrischend traditionell sind.

Khun Naiphol Resort, ☎ 053/765 001, FAX 765 004. Komfortable Holzbungalows. $

Shin Sane Guest House, ☎ 053/765 026. Einfache Bungalows mit Bad (Warmwasser). Die sehr freundliche Betreiberfamilie versorgt Sie mit recht präzisen Karten der Umgebung, auf der sogar die Minenfelder entlang der Grenze eingetragen sind. Auf Wunsch vermittelt man außerdem Pferdeburschen zum berittenen Trekking. $

Von thailändischer Kost sei ausnahmsweise abgeraten, sie fällt in Mae Salong erlesen lieblos aus. Riskieren Sie stattdessen einen Streifzug durch die zahlreichen Hotels des Ortes, deren Küchen sprachlich (auch auf der Speisekarte) zwar meist nicht auf westliche Besucher eingerichtet sind, aber eine hervorragende China-Gastronomie servieren.

Tipp Rund 12 km östlich von Mae Salong liegt das Akha-Dorf **Ekaw Sam Yaek.** Es finanziert sich ausschließlich vom Verkauf von Handarbeiten und Trinkgeld für Fotos. Gewiss nicht jedermanns Geschmack, aber bei etwas Verhandlungsgeschick immerhin Quelle günstiger, typischer Stammeserzeugnisse.

Wenn Sie H 1234 und H 1130 auf einer landschaftlich sehr schönen Strecke weiter nach Osten folgen, erreichen Sie in Pasang, 2 km nördlich von Mae Chan, mit H 110 den Anschluss an Route 1 (s. S. 52).

Route 3

Die Provinz Mae Hong Son

Chiang Mai – Mae Ma Lei – Pai – Soppong – Mae Hong Son – Mae Sariang – ** Doi Inthanon – Chiang Mai

Die „Mae-Hong-Son-Schlaufe" durch eine von Thailands dünnstbesiedelte Provinzen hat sich zu einem Klassiker für Freunde zwei- oder vierrädriger Transportmittel entwickelt: Hunderte von Kilometern verkehrsarmer, bergig-kurviger Straßen und bei Bedarf jede Menge „Off Road". Aber auch wer ohne eigenes Fahrzeug unterwegs ist, darf sich durch herrliche Landschaften und malerische Flecken begeistern lassen. Zu den Höhepunkten der Route zählt eine Floßfahrt auf dem Ping, ein Besuch auf Doi Inthanon, Thailands mit 2595 m höchstem Berg, sowie der Bergstammmarkt von Soppong. Rechnen Sie je nach Anzahl der Abstecher und gewähltem Transportmittel – Mountainbike z. B. – mit 8 bis 20 Tagen.

Mae Ma Lai

Auf den ersten Blick unterscheidet sich der Ort durch nichts von anderen gesichtslosen Nestern, die Thailands Nationalstraßen säumen. Wer allerdings genauer hinsieht, macht ungewöhnliche Gesichtszüge aus, fremdartige Trachten sowie ein eigenartiges Sortiment in den Geschäften. Tatsächlich biegt hier der Highway 1095 ab, gleich hinter dem Markt liegt Stammesland. Damit beginnt das Abenteuer und endet der tosende Verkehr von Chiang Mais nördlicher Ausfallstraße. Bei einer Nudelsuppe können Sie Vorfreude genießen und überlegen, was Sie an Ausrüstung vergessen haben: eine Hängematte vielleicht, die Bergstiefel, Mückenschutz oder Ananaskekse? Ma Lai hat's, denn es beliefert die Stammesdörfer des Hinterlandes. Wer hier nicht noch eine letzte Besorgung tätigt, wird es später wahrscheinlich bereuen, die Augenweide des Marktvolkes bekommen Sie umsonst dazu.

Nach 18 km und noch in flachem Terrain führt ein Abzweig zum 30 m Wasserfall von **Mok Fa.** Wer radelt oder es überhaupt gerne gemütlich angeht, wird ein Picknick einlegen oder vielleicht ein kurzes Bad nehmen. Kurz hinter den Fällen steigt die Straße an, und spätestens am Kilometer 29 sollte man eine Kaffeepause einlegen.

Tipp Die **Par Deng Cabin** (☏ 053/229 158; Ⓢ) wenige Meter abseits der Straße, verkündet auf einem Werbeschild Unterkunft, Speise und Trank, hat aber dazu eine herrliche Aussicht über Ketten unberührter Bergwälder zu bieten. Wenn die Zeitplanung es gestattet, können Sie hier auch schon Ihre erste Tagesetappe mit einem ausgiebigen Spaziergang beenden. Die Cabin bietet übrigens auch gute Trekkings einschließlich Elefantenritt zu umliegenden Dörfern der Karen, Lahu, Hmong und Lisu an.

* Nationalpark Huay Nam Dang

Über steile Serpentinen geht es danach hinauf zum ersten Pass. Gut ausgeschildert führt ein Abzweig rechter Hand noch höher zum Park, der übersetzt „Lautwasserquelle" heißt. Vor allem bei Thais beliebt, bieten verschiedene Aussichtsstandpunkte einen grandiosen Blick zum Doi-Luang-Massiv sowie bei Tagesanbruch und entsprechendem Wetter über wogende, sonnenvergoldete Morgennebel in den Tälern. Die Parkverwaltung vermietet einige recht komfortable Bungalows, die allerdings telefonisch vor zu bestellen sind (☏ 053/471 669). Anderenfalls müssen Sie sich ihre Unterkunft selber

König Bumiphol auf Besuch im Norden seines Landes

Eine Karen

Sonnenaufgang in den Bergen

3

Seite 54

organisieren (Zelt, Schlafsack oder evtl. im wenige Kilometer entfernten Lisu-Dorf Huay Nam Dang, wo häufig Trekking-Touren durchziehen und man an westliche Besucher gewohnt ist. Saubere Sanitäranlagen finden Sie beim Parkhauptquartier.) Am Wochenende kann es recht belebt werden, doch vermutlich haben Sie an den einheimischen Mitcampern ebenso viel Freude wie am Sonnenaufgang. Von der Aussicht her jedoch lohnt Lautwasserquelle zu jeder Zeit, insbesondere auch in mondhellen Nächten.

3
Seite 54

Tipp Während der Wintermonate kann es in Huay Nam Dang empfindlich kalt werden, Mutter Natur hat den Nationalpark jedoch mit den heißen Quellen von Pong Duat gesegnet, die mehrere Becken speisen, in denen man sich aufwärmen kann.

Pai

Der Marktflecken, vor 25 Jahren nichts als ein verrufener Stützpunkt chinesischer Opiumaufkäufer, hat sich zu einem wahren Publikumsliebling gemausert. In dichter Folge eröffnen seither Meditationsschulen, Kräuterbäder, Vollkornbäckereien und andere Versuche der Alternativszene zusammen mit einheimischen Partnern aus alten Träumen eine neue Existenzgrundlage in dem idyllischen Tal am Ping zu schaffen. Konkret gibt es eigentlich nicht viel zu besichtigen, dafür reichlich Atmosphäre und Aktivitäten in der Umgebung.

Besonders empfehlenswert sind Floß- oder Kanufahrten auf dem Ping, die von verschiedenen örtlichen Veranstaltern angeboten werden. Je nach Paket schließen sie teilweise Besuche bei Bergstammdörfern, Elefantenritte oder auch Übernachtungen an einsamen Flussstränden ein. In Tagesausflügen können Sie bequem auch ohne Guide Dörfer der Lahu, Karen und Lisu, die Wasserfälle von **Mo Paeng** und **Mae Yen** sowie die heißen Quellen von **Pong Ron** erreichen.

Vor allem jedoch bietet sich Pai zum Faulenzen an. Der Ort umfasst eine Hand voll Straßen und Gassen, die Sie am ersten Tag leicht durchschlendern und dabei Bestandsaufnahme machen können. Sauna, Massage, Kochkurs, Musikkneipe – alles im Angebot. In Pai wird viel gekifft, dafür fehlt das in Thailand sonst obligate Angebot von Gewerbesex. Beinahe müßig zu erwähnen, dass der Ort auch eine gute Ausgangsbasis für Trekkings abgibt.

Skandia Resort, ☎ 053/699 189. 4 km außerhalb an der Straße Richtung Mae Hong Son, hübsche Bungalows mit Vollkomfort. $$

Duang, ☎ 053/699 101. Verwinkelte Bungalowanlage gleich neben der Bushaltestelle, mit Unterkünften verschiedener Komfort- und Preisklassen. Passables Restaurant, Mountainbike-Verleih und gute Trekkingagentur angeschlossen. Nicht gerade hübsch und auch nicht unbedingt leise, aber gut organisiert und sehr praktisch, wenn Sie mit öffentlichen Verkehrsmitteln unterwegs sind. $

Golden Hut, ☎ 053/699 024. Ruhige, einfache Bungalows am Fluss. $

Chez Swan. Der König unter den örtlichen Lokalen. Hübsch gemacht, mit guter thai-französischer Küche, leckerem Kuchen und ordentlichen Weinen. Zivile Preise, aber langsamer Service. $$

Pai Corner Bar & Restaurant. Der Deutsche Tom erzählt Ihnen bei einem Bier gerne, was aktuell gerade abgeht. Zum Frühstück gibt's gute Sandwiches, auf der Speisekarte steht deutsche Hausmannskost. $

Tipp **Rafting: Thai Adventure,** ☎ 053/699 274, E-Mail <raftad@loxinfo.co.th>. Viel gelobte Kajak- und Schlauchboottouren, unter französischer Leitung.

Transport: Viele Fahrrad- und Motorradverleiher; tgl. vier Busse von und nach Chiang Mai sowie drei von und nach Mae Hong Son.

Berg- und Talfahrt

Gleich hinter Pai geht es wieder steil hinauf bis zum **Kaeo-Lom-Pass,** wo eine Polizeistation gelegentliche Stichkontrollen in Sachen Drogenhandel und Wilderei durchführt. Eine Aussichtsplattform gestattet einen weiten Blick über das Tal von Soppong, Lisu-Frauen bieten Handarbeiten feil.

Tipp Hinter dem Pass fällt die Straße steil ab. 8 km vor Soppong liegt gleich neben der Straße das freundliche Lisu-Dorf **Nam Rin.** Hier hat Rudi mit seiner einheimischen Frau zusammen ein sehr spartanisches Guest House eröffnet, das Ihnen für wenig Geld, in aller Ruhe und ohne Guide Nahansicht des Stammeslebens gewährt.

Heiße Quellen von Pong Ron

Karen-Dorf (Provinz Mae Hong Son)

Soppong

Auf der Talsohle schließlich erstreckt sich, lang gezogen an der Straße, einer der spannendsten Stammesmärkte in Thailand und Ausgangspunkt für einige der interessantesten Trecks. Täglich kommen hunderte von Lisu, Lahu, Hmong, Karen und Shan zu ihren kleinen Besorgungen.

Achtung: Obgleich das Wegenetz gut ist, sollten Sie unbedingt der Versuchung widerstehen, auf eigene Faust in die umliegenden Berge und Dörfer zu ziehen. Die birmanische Grenze liegt nahe und ist nicht markiert, die Region bildet einen Hauptumschlagplatz für Drogen, und zu viel Eigeninitiative geht leicht ins Auge. Insbesondere das wenige Kilometer entfernt gelegenene Lahu-Dorf Wannaluang stellt einen Brennpunkt von Prostitution, Waffenschieberei und Heroinsucht dar, in den Sie sich besser nicht verirren.

Dunkles Labyrinth

Hauptattraktion des Tales ist die **Tham Lot,** eine vielkammerige, von einem Flusslauf durchzogene Tropfsteinhöhle, 9 km von Soppong entfernt, die angeblich bereits vor über 10 000 Jahren

Trekking nordöstlich von Pai

3

Seite 54

Menschen beherbergt haben soll und heute Millionen von Fledermäusen Unterschlupf bietet. In einigen der Höhlenkammern stehen alte Särge, und herumliegende Gebeine vermitteln schaurig-schönen Grusel. Gute Schuhe, Taschenlampen sowie ein am Höhleneingang zu heuernder Guide sind unverzichtbar!

T. Rex House, in Soppong, ☎ FAX 053/617 054. Das versteckte Juwel unter den Absteigen der Provinz. Tadellose Bungalows in hübschem Garten rund um einen Pool, mit gutem Restaurant, Cocktailbar und liebevollem Sinn fürs Detail. Vorbildliches Thai-Deutsches Gemeinschaftsprojekt. Vermietet Motorräder, vermittelt Guides. $

3
Seite 54

Mae Hong Son

Eine kurvenreiche Berg- und Talfahrt mit zahlreichen Aussichtsstandpunkten zu einsamen Tälern und in den Hängen klebenden Dörfern bringt Sie in die Provinzhauptstadt. Von hohen Bergen umgeben und der Außenwelt fast abgeschnitten, blickt die „Stadt der Nebel“ in „Thailands Sibirien“ auf aufregende und schlagzeilenträchtige Zeiten zurück. Heute ist die Stadt eines der populärsten Ziele für einheimischen wie ausländischen Tourismus gehobener Klasse, hat zwar wenig Konkretes, dafür viel Atmosphäre zu bieten und kommt unter diesem Vorzeichen bisher ebenfalls ohne Go-Go-Bars und ähnliches Billigamüsement aus.

Einkaufsbummel

Die Hauptstraße Mae Hong Son ist dicht von Souvenirshops gesäumt, Kunstgewerbe shan-birmanischer Provenienz findet regen Absatz. Mittendrin liegt auch noch der **Night Bazar,** der mit dem Vorbild in Chiang Mai nur wenig gemein hat: Statt Shopping geht es hier vornehmlich um Openair-Kantoke-Dinner zur Shan-Kulturshow (20 Uhr). Preiswert, unterhaltsam und gut.

Die Tempel am See

Wat Chong Kham und **Wat Chong Klang,** die beiden berühmten Shan-Tempel des Postkartenmotivs, stehen in trauter Eintracht nebeneinander am Seerosenweiher, der ansonsten von Kneipen, Fitnesspark und Popcornverkäufern umgeben ist. Das Popcorn nährt eine fette Fischpopulation, die sich munter vermehrt, seit der Fang verboten und der letzte Kahn vom Wasser verbannt wurde. Nächtens illuminiert, macht sich vor allem der goldene Chedi von Wat Chong Klang formidabel, dessen Viharn eine Sammlung wertvoller birmanischer Holzstatuen birgt.

Aussicht

Wat Kong Mu überblickt von einem 400 m hohen Hügel die Stadt und lohnt wegen der Aussicht. Wie auch die anderen Tempel Mae Hong Sons eine Gründung des mittleren 19. Jhs., als Mae Hong Son Stadtstatus erhielt und der kleine See noch Badewanne für Reiseelefanten war.

Holiday Inn, ☎ 053/611 390, FAX 611 524. Mäßig originell, aber mit dem üblichen Komfort gehobener Hotels einschließlich Pool. $$

Mountain Inn, zwischen Holiday Inn und Night Bazar, ☎ 053/612 283, FAX 612 284. Abgespeckte Holiday-Inn-Variante ohne Pool, dafür deutlich billiger. $$

Siam, ☎ 053/612 148. Einfaches Stadthotel mit geräumigen Zimmern. Am Englisch des Personals hapert es ein wenig. $$

Mae Hong Son Guest House, ☎ 053/612 510. Etwas versteckt und ruhig am Stadtrand, hat die älteste Touristenherberge Mae Hong Sons ihren Standard gehalten. Angeboten werden professionell und kompetent organisierte Trekkings. $

Bai Fern, ☏ 053/611 374. Ein Klassiker der lokalen Gastronomie. Dem guten Essen entspricht das Ambiente. ($)

Kai Mook. In der Verbindungsgasse zwischen Khunlumprapat Rd. und See, dem Bai Fern jedoch etwas unterlegen. ($)

Tipp **Thai Yai,** ☏ 053/620 105 (gleich bei der Ampel). Der Shan Daeng importiert erstklassige birmanische Lackarbeiten und verleiht Motorräder.

Wenn sich nachts der goldene Chedi im See spiegelt, wird in der **Lake Side Bar** frisch Gezapftes zu sanfter Country & Western Music kredenzt.

Ausflüge

Eine Reihe von Ausflügen kann man, wenn man sich sputet und früh aufsteht, in einem komprimierten Tagesprogramm absolvieren. Ziel ist die Region nördlich der Stadt.

Fast direkt an der Straße nach Pai liegt die **Tham Pla,** die „Fischhöhle". Im Prinzip nichts als eine winzige Grotte, aus der ein unterirdisches Gewässer mündet, sagt der Volksmund den hier lebenden Fischen magische Eigenschaften nach. Vor Nachstellung sicher und stetig gefüttert, haben die Tiere sich vermehrt und zu kapitaler Größe entwickelt. Tham Pla zieht vor allem einheimische Touristen an und ist deshalb an Feiertagen interessant, wenn Tausende in den Gartenanlagen picknicken.

Nahe der Fischhöhle zweigt die Straße nach **Mae Aw** (auf Wegweisern oft auch Mae Ao oder Mae Or etc. geschrieben, neuerdings jedoch hochoffiziell Rak Thai genannt) ab. Über gewagte Spitzkehren, die souveränen Umgang mit der Gangschaltung erfordern, geht es am mäßig interessanten **Pha-Sua-Wasserfall** sowie dem für die Öffentlichkeit gesperrten königlichen Sommerpalast **Pang Tong** vorbei

Im Wat Kong Mu

Blick auf Mae Hong Son

Das Postkartenmotiv von Mae Hong Son: die berühmten Shan-Tempel am See

3

Seite 54

hoch hinauf direkt an die birmanische Grenze. Hinter dem Pass passieren Sie das hoch entwickelte Hmong-Dorf **Na Pa Paek,** wo Sie bei einer Kaffeepause Bergstammleben in der Neuzeit sehen: mit Auto, Video und Satellitenempfänger.

Mae Aw diente lange als Stützpunkt der Kuomintang Soldaten (s. S. 62 f.) und hat sich das typische chinesische Flair bis in die Gegenwart erhalten, Mandarin ist Umgangssprache. Nachdem die chinesischen Truppen in den frühen 80er Jahren durch die Shan-Armee Khun Sa's endgültig besiegt wurden, richteten sich Khun Sa's schärftse Rivalen, die Wa, wenige hundert Meter von Mae Aw entfernt jenseits der Grenze militärisch ein, entfalten dort noch gelegentlich Aktivitäten und haben einige ihrer Repräsentanten auch in Mae Aw angesiedelt. Sie sollten daher peinlich darauf achten, den Ort hinter dem Ende der asphaltierten Straße nicht unbegleitet zu verlassen, sonst könnten Sie von einer birmanischen Patrouille festgenommen werden. Die Grenze ist nämlich nicht markiert.

3

Seite 54

Tipp Neben der dramatisch schönen Landschaft und der eigentümlich zeitlosen chinesischen Ausstrahlung bietet das Dorf noch zwei weitere Highlights: Ein unscheinbares Restaurant am Ende der Asphaltstraße serviert wunderbare yunnanesische Hausmannskost und an einer Seitenstraße kurz davor stehen Pferde und Maultiere zu einem Ausritt bereit. Es ist davon auszugehen, dass diese Tiere in ihrer „Freizeit" noch immer Drogen über die Grenze schmuggeln, und vermutlich auch die Leute, die Sie auf Wunsch begleiten. Fantasie und harte Wirklichkeit gehen in Mae Aw noch Hand in Hand, nirgendwo kommen Sie dem morbiden Zauber der Region näher ...

Zurück an der Hauptstraße und noch weiter nach Norden führt ein weiterer Abzweig zwischen zwei steilen Kuppen hindurch nach **Huay Pheung.** Die Straße, auf der jahrzehntelang Khun Sha's Nachschub rollte, folgt einem engen Flusstal. Reisterrassen zwischen turmhoch aufragenden Felsen, dazwischen erzkonservative Shan-Dörfer, bilden bei Sonnenauf- oder untergang, wenn sich der Qualm von Herdfeuern mit Nebeln, Schatten und goldenem Sonnenlicht mischt, einige der dramatischsten Fotomotive, die sich in Thailand heute noch finden lassen.

Gut verzichtbar

In den Mittelpunkt seiner Fremdenverkehrswerbung hat Mae Hong Son das Dorf der **Langhalsfrauen** gestellt. Für 300 Baht dürfen Sie, in einer Reihe anderer Touristen stehend, die armen und schier zu Tode fotografierten Damen ablichten – es gleicht einem menschlichen Zoo. Auch wenn Ihnen in Mae Hong Son der Trip auf Schritt und Tritt angedient wird, als handele es sich um eine kulturhistorische Pflichtübung, entgeht Ihnen wirklich gar nichts, wenn Sie ablehnen.

Auf dem Weg nach Mae Sariang

Für die Fahrt weiter nach Süden sollten Sie sich, wenn Sie per Fahrrad unterwegs sind, mit Proviant versorgen, und anderenfalls auf einen gefüllten Tank achten. Die Region ist kaum besiedelt, über viele Kilometer wird Ihnen womöglich kein Mensch und auch kaum jemals ein Fahrzeug begegnen.

Sie werden sich ganz auf die vor allem in den Wintermonaten herrliche Landschaft konzentrieren dürfen, wenn Kälte und Trockenheit die Blätter fallen lassen und die wundervollsten Herbstfarben hervorbringen. In der Gegend siedeln kaum Bergstämme, dies ist reines Shan-Land, und die wenigen Dörfer liegen meist weitab der Straße. Halten Sie öfter mal an, lassen das Auge in Täler und Schluchten schweifen.

Tipp In der Region zwischen Mae Hong Son und Mae Sariang erblühen Ende November/Anfang Dezember ganze Felder prächtiger mexikanischer Sonnenblumen. Im November feiert man daher auch das **Sonnenblumenfest:** in Mai Hong Son bzw. auf Doi Mae U-Khor oder in Huo Mae Kham.

Khun Yuam

Die winzige Distriktstadt wartet mit einigen netten Shan-Tempeln auf sowie einer entspannt ländlich-rückständigen Atmosphäre. Eine neue Straße nach Chiang Mai biegt nach Osten ab, und ermöglicht eine Verkürzung der Route um etwa 100 km, in diesem Fall stoßen Sie bei Mae Chaem wieder auf die Route.

Von Khun Yuam können Sie einen Abstecher zum Hmong-Dorf **Mae U Khor** machen, wo viel Kunstgewerbe produziert und verkauft wird, sowie zum **Nam Tok Mae Surin,** einem von Thailands höchsten Wasserfällen.

Banfarang, ☎ 053/622 085. Piccobello gehaltenes und geführtes Guest House mit Bungalows und Restaurant. Ⓢ

Mae Sariang

Südlich von Khun Yuam wird die Streckenführung allmählich sanfter, über den gemütlichen Shan-Flecken *Mae La Noi* erreichen Sie schließlich das schläfrige Mae Sariang. Ein kurzer Spaziergang führt zu den shan-birmanischen Tempeln **Wat Jong Sung** und **Wat Si Bunruang,** beides Bauten des späten 19. Jhs.

Rund um Mae Sariang kann man hervorragend durch Dschungel zu Karen-Dörfern trecken. Sofern die politische Lage es zulässt, bietet sich als Highlight jedoch eine ** **Bootsfahrt auf dem Salween** und seinem Nebenfluss Moey an, die über eine lange Strecke die Grenze bilden und Ihnen eine wundervolle Weiterreise bis nach Mae Sot

Traditionelles Shan-Essen

Ein kleiner Shan-Musiker in Tracht

Schmuggelkarawane

3

Seite 54

(s. S. 84) ermöglichen können. Über das aktuelle Angebot müssen Sie sich vor Ort erkundigen.

Der Salween, einer der Welt schönster Ströme, entspringt in Tibet und hat bis nach Thailand nicht ein einziges erschlossenes Gebiet passiert: frei von Abwässern, glasklares kaltes Wasser, an manchen Stellen von wunderbaren Sandstränden gesäumt. Anlegestelle ist **Mae Sam Laeb,** ein typischer Schmugglerhafen 50 km südwestlich Mae Sariangs, der an sich schon einen Ausflug lohnt.

3
Seite 54

Tipp **Riverside View Guest House,** Langpanich Rd., ☏ 053/ 681 188. Die Eigentümerin gilt als intime Kennerin der Grenzlage und vermittelt auch Trekkings. Die Räume des großen, alten Teakhauses sind etwas muffelig und ohne angeschlossenes Badezimmer, vermitteln dafür aber einen Hauch des alten Thailand. Der Ausblick von der Veranda ist durch nichts aufzuwiegen, jeden Moment erwartet man, dass der Tiger aus dem Dickicht am Flussufer auftaucht. Ⓢ
Mitr-A-Ree Hotel, Mae Sariang Rd., ☏ 053/681 110. Deutlich komfortabler, aber bei weitem weniger stimmungsvoll. Ⓢ

Gut und gemütlich speist man im Gartenrestaurant **Suan Nipha,** bei Lifemusik deutlicher beschwingter jedoch im **Black & White Coffeeshop.** Beide liegen an der Hauptstraße.

Auf dem Weg nach Mae Chaem

Durch relativ flache, teilweise karge Landschaft fahren Sie weiter nach **Mae Chaem,** wo auch die Abkürzung von Khun Yuam mündet. Seit einigen Jahren wird auf Privatinitiave hin eine lokale Tradition wieder belebt: handgewebte und mit Naturfarben behandelte, besonders reich gemusterte *sin-lua-Stoffe* mit einem typischen Dekor. Die Produktion fällt bisher noch spärlich aus, doch ein Gang über den Markt und ein Schwatz mit den alten Frauen könnte Ihnen ein echtes Schnäppchen bescheren.

** Doi Inthanon

Von Mae Chaem zieht sich eine steile Straße hinauf zu Thailands mit 2595 m höchsten Berg. Erwarten Sie keine spektakulären Aussichten, der Koloss bleibt meist vornehm in Wolken und Nebel gehüllt. Dafür wird es weiter oben oft wirklich kalt. Also warm anziehen – die tiefste je gemessenene Temperatur betrug immerhin minus 8 °C!

Die enormen Höhen- und Temperaturunterschiede haben Doi Inthanon zu einem Kaleidoskop unterschiedlichster Biotope mit höchst abwechslungsreicher Flora und Fauna verholfen.

Knapp 500 km² auf Gipfel und Flanken des Berges gehören zum **Doi-Inthanon-Nationalpark,** einer der ältesten und populärsten Schutzzonen des Landes. Auf dem Gipfel von Doi Inthanon gewesen zu sein, zählt zu den wichtigsten Marksteinen thailändischer Binnentouristen, und gelte es auch nur, wenigstens einmal echte Kälte erlebt zu haben. Die unteren Hänge umgeben dichte Monsunwälder mit großblättrigen Teakbäumen. Weiter nach oben finden sich Nadelbäume sowie immergrüne Regenwälder sowie eine erstaunliche Vielfalt von Orchideen, Farnen, Moosen und Epiphyten.

Einige hundert Meter unter dem Gipfel wurden vor wenigen Jahren nebenei-

Für Ornithologen

383 Vogelarten wurden auf dem Inthanon gezählt und sind zumindest saisonal noch heimisch, der Park gilt als Dorado für Ornithologen und Vogelfotografen.

nander zwei gewaltige Chedis für König und Königin errichtet. Fast unmittelbar neben dem Gipfel unterhält das Militär eine umzäunte Radarstation, den eigentlichen Gipfel markiert ein kleiner Chedi. Hier ruht Chiang Mais letzter König in ewiger Kühle. Einige Wanderwege nahe des Gipfels führen zu besonders erstaunlichen Exemplaren der Pflanzenwelt, darunter wunderschöne, bemooste Rhododendren.

Vom Berg hinab wählen Sie die Straße Richtung *Chom Thong*. Sie führt an einer Ornithologenstation vorbei, wo man auch übernachten kann, am Hauptquartier der Parkverwaltung, wo man Guides engagieren und einen Blick auf die Übersichtskarte werfen kann, ferner an mehreren Stammesdörfern, Versuchsfarmen sowie einem Markt, wo Hmong und Karen ihre Landwirtschaftsprodukte feilbieten, darunter für Thais exotisch anmutende Kaltklimagewächse wie Äpfel, Erdbeeren, Kartoffeln oder Blumenkohl.

Neben dem Gipfel ziehen vor allem die an der Straße gelegenen **Mae-Klang-Wasserfälle** sowie die Tropfsteinhöhle **Borojinda** zahlreiche Besucher an. Deutlich ruhiger geht es allerdings an den zahlreichen anderen Wasserfällen des Parkes zu, darunter auch der Fall von **Mae Ya**, mit 250 m Thailands höchster, 13 km von der Hauptstraße entfernt.

Regen Anteil am Inthanon-Tourismus hat die freundliche Stadt **Chom Thong** am Fuße des Berges, wo eifrige Parkbesucher gutes Unterkommen finden. * *Wat Phra That Si Chom Thong* entstand 1461. Ein klassischer, birmanisch inspirierter Lanna-Bau mit vergoldetem Chedi, exquisiten Holzschnitzereien und einem Altar in Form eines Minitempels – die Anlage gilt als eine der schönsten des Nordens.

Little Home, ☏ 053/311 475, kurz vor dem Parkeingang am Rande Chom Thongs gelegen. Nette, saubere Bungalows. $

Die Sonnenblumen blühen Ende November/Anfang Dezember

Bei Mae Sariang

Wat Jong Sung (Mae Sariang)

3
Seite 54

Route 4

Tempel, Märkte, Elefanten

Chiang Mai – Lamphun – * Si Satchanalai – *** Sukhothai – Mae Sot – Umphang**

Seite 82

Diese sehr abwechslungsreiche, kulturhistorisch orientierte Route lässt sich auch gut mit öffentlichen Verkehrsmitteln absolvieren. Sie führt auf eine Zeitreise aus der Vergangenheit in die Gegenwart Thailands: von den ältesten Tempeln der Mon-Epoche in Lamphun über die Blüte der Thai-Kunst in Si Satchanalai und Sukhothai bis hin zur sozio-kulturellen Gegenwart an der thai-birmanischen Grenze von Mae Sot. Im Anschluss können Sie ein herrliches Trekking machen, und zwischendurch gibt es jede Menge Elefanten im National Conservation Center. Rechnen Sie je nach Transportmittel und Ausflügen mit 5 bis 14 Tagen und stehen Sie am ersten Reisetag noch vor den Hähnen auf, wenn Sie das Programm bewältigen möchten.

Lamphun

Im 6. oder 7. Jh. von einer Mon-Königin gegründet, existierte die stille Kleinstadt bereits, als selbst die Vorläufer eines Thai-Reiches erst noch aus der Taufe gehoben werden mussten. Sie überlebte ihr Vorbild, das Mon-Reich von Dvaravati, das an Khmer und Birmanen fiel, und kapitulierte erst 1281 vor dem neuen Reich Lanna.

Zwei Tempel bilden die einzigen authentischen Überreste der Mon-Architektur. In * **Wat Phra That Haripunchai,** datiert auf 1044, stehen zwei Chedis im Haripunchai-Stil. Der größere, 48 m hoch, frisch vergoldet, trägt einen Schirm *(hti)* im birmanischen Stil aus massivem Gold. Der kleinere, unrestaurierte Chedi Suvanna, vermutlich im 14. Jh. rekonstruiert, enthält in stufenförmig angeordneten Nischen Stuckbuddhas, ein typisches Merkmal der Dvaravati-Sakralarchitektur. Zum Wat gehören ein Sala mit einem kolossalen Bronzegong, angeblich der Welt größter, sowie eine hübsche Bibliothek *(ho trai)* im Lanna-Stil des 19. Jhs.

Der Chedi von * **Wat Kukut,** nach der Gründungsmutter der Stadt auch oft Wat Chama Devi genannt, nicht goldhaltig und daher viel unauffälliger, entstand vermutlich 1218. Auch hier die stufenförmig in Nischen angeordneten Buddhas, die klassische Mon-Züge tragen. Obwohl im Laufe der Zeit mehrfach restauriert, gehen die Kunsthistoriker davon aus, dass dieser Chedi der einzige überlebende Prototyp der Dvaravati-Baukunst ist und auch der Chedi Suvanna nach dessen Vorbild wiederhergestellt wurde.

Tipp Früh aufstehen lohnt hier wirklich: Die Stimmung bei Sonnenaufgang, wenn die Mönche in der morgendlichen Stille der ohnehin ruhigen Stadt auf ihren Spendenrundgang gehen und das Gold von Haripunchai im Licht des jungen Tages schimmert, ist großartig. Wenn Ihr Besuch auf ein Wochenende oder einen Feiertag fällt, können Sie noch die Kunstschätze der Dvaravati-, Haripunchai- und Lanna-Epoche im **Nationalmuseum** bestaunen.

* Elephant Conservation Center

Um 9.45 Uhr nehmen die Dickhäuter ihr Bad. Auf dem sehr liebevoll gestalteten Gelände findet anschließend eine Show der Arbeitselefanten statt, in ihrer Art das Beste, was Thailand zu bieten hat. Ohne zirkusartigen Pomp und alberne Dressurakte wird schlicht und ergreifend gezeigt, wieso der Elefant in Südostasien zu einem historisch so bedeutsamen Lebensgefährten des Menschen wurde. Am Wochenende und an Feiertagen beginnt die Show erst um 13 Uhr.

Thung Kwian Forest Market

Schwungvoll und stilecht, gleich einige Kilometer weiter an der Straße, präsentiert sich das Marktangebot zwischen bizarr und praktisch. Gegrillte Ratte oder frittierter Engerling mag nicht jedermanns Sache sein, doch Tees und Gewürze (Safran z. B.) sind hier ebenso gut wie preiswert, und die Waffenschmiede für das Instrumentarium der Krabi-Krabong-Kämpfer gereichte auch Hongkong zur Ehre.

Angeschlossen sind einige Stände mit preiswerten Gerichten, die Ihnen zur Mittagspause warm ans Herz gelegt seien. Vor allem der Klebreis ist hier frisch und gut.

Lampang

Die Stadt, idyllisch am Wang-Fluss gelegen, ist ebenso alt wie Lamphun, aber leider nicht mehr so nett. Als Transportmittel hat sich die Pferdekutsche erhalten, doch wird sie, bei den geforderten Preisen kaum verwunderlich, nur noch von Touristen genutzt. Lange Zeit Zentrum des Teakhandels mit Birma, hat der große Nachbarstaat im Westen deutliche Spuren bei der Tempelarchitektur hinterlassen: **Wat Si Rong Meuang** trägt besonders starke birmanische Züge, **Wat Phra Kaeo** diente dem (in seiner Geschichte sehr reiselustigen) Smaragdbuddha Bangkoks kurzzeitig als Asyl, und hat heute einen Hauptbuddha, der dem legendären Mahamuni der birmanischen Stadt Mandalay nachempfunden ist, **Wat Chedi Sao,** sehr hübsch gelegen und mit 20 kleinen Chedis ansprechend entworfen, besitzt eine kleine, unendlich kostbare Buddhastatue des 15. Jhs. aus reinem Gold.

Wat Phra That Haripunchai (Lamphun)

4

Seite 82

Die Mon

Die Vorfahren der als älteste Ethnie und Hochkultur der Region geltenden Mon sind vermutlich etwa zu Beginn unserer Zeitrechnung aus Indien nach Birma eingewandert und haben sich mit den heute nicht mehr bekannten Ureinwohnern vermischt. Mit Sicherheit haben die Mon aus Indien den Buddhismus mitgebracht. Sie gründeten in Zentral- und Nordthailand sowie in Zentralbirma eine Reihe von Stadtstaaten der so genannten Dvaravati-Kultur. Die Bedeutendsten müssen nach unterschiedlichen Theorien bei Lopburi in Thailand oder Bago in Birma gelegen haben und beeinflussten maßgeblich die Kulturgeschichte von Thais, Birmanen und Khmer. Nach jahrhundertelangen Kriegen mit Birma wurden den Mon eine autonome Region, der Mon State, zugesagt, in der sie ihr Erbe pflegen können. Eine hoch angesehene Mon-Gemeinde lebt außerdem in einem Vorort Bangkoks.

Ban Sao Nak

Ein echtes Kuriosum ist die Teakresidenz, die sich ein Mon um die Jahrhundertwende auf 110 Säulen hat bauen lassen. Da der Boden wanderte, das Teak aber nicht mitwollte, mussten die Säulen weitgehend durch Beton ersetzt werden, auch fand zwischenzeitlich manches Eingang in Sao Nak, was zu Zeiten des Erbauers noch nicht erfunden war, dennoch bietet das Privatmuseum einen wundervollen Eindruck, wie der gehobene Bürger Siams wohnte, als Kipling seine Dschungelbücher schrieb.

Seite 82

Im Schatten des Bodhi Baumes

Die Hauptattraktion Lampangs aber ist ** **Wat Phra That Lampang.** Auf einer Anhöhe beim Dorf Ko Kha außerhalb der Stadt thront, von schweren, modrigen Befestigungsmauern geschützt, dem Anschein nach eher Burg denn Heiligtum, Thailands ältester Holzbau, von manchen Experten als eines der bedeutendsten Beispiele südostasiatischer Kunst gepriesen. Ehemals war der Tempelgrund tatsächlich Bestandteil einer Befestigungsanlage, die jedoch von den Birmanen zerstört wurde. Wahrscheinlich im 8. Jh. als Teil Haripunchais gegründet, geht der erhaltene Bau auf das 11. Jh. zurück. Ein gewaltiger Bodhi-Baum im linken Vorhof, dessen ausladendes Astwerk von Gläubigen mit zahlreichen Stützen in ein Kunstwerk verwandelt wurde, dürfte etwa in dieser Zeit gepflanzt worden sein. Eine Schautafel erläutert Name, Alter und Funktion der einzelnen Bauten, von denen die meisten glücklicherweise nur wenigen Restaurationsversuchen ausgesetzt waren und die Zeit schwer gebeutelt, aber weitgehend im Originalzustand überstanden haben.

Ein Relief über dem schweren Hauptportal (15. Jh.) zeigt verwobene Drachen, ein einstmals vermutlich häufiges, mittlerweile aber kaum noch anzutreffendes Lanna-Motiv. Einzigartig der 45 m hohe **Lanna-Chedi** mit seiner Verzierung aus Bronzeplatten. Ein kleines Loch im Chedi markiert den Einschlag einer Kugel, mit der ein lokaler Held den birmanischen General niederstreckte, als um Lampang gekämpft wurde. Sogar die Regenrinne ist erhalten, über die sich der Attentäter in den befestigten Tempel schlich. Der morsche, von den Termiten arg angefressende **Viharn Luang,** der Hauptbau der Anlage, mit Holzschindeldach auf Teak-Säulen, wird auf 1476 datiert, die Fresken darin wurden im 19. Jh. erneuert. Ein ähnliches Alter wird **Viharn Nam Tan** zugeschrieben, dessen Malereien allerdings erheblich älter sind.

Die berühmteste Buddhafigur der Anlage, **Phra Kaeo Don Tao,** dürfte aus der gleichen Quelle stammen wie Bangkoks Smaragdbuddha. Abertausende von Pilgern ehren Tempel wie Statue zu Feierlichkeiten wie Songkhran oder Loi Krathong.

Tipp Sie können am ersten Tag durchaus bis Sukhothai kommen. Wenn Sie aber in Lampang bleiben wollen, finden Sie eine Hand voll Mittelklassehotels, einige davon rund um die Kreuzung Boonyawat/Suan Doke Rds.

*** Si Satchanalai

Ganz anders, doch ebenso stimmungsträchtig fällt der *** **Si Satchanalai-Chaliang Historical Park** aus. Von der UNESCO zum Weltkulturerbe deklariert, stehen in einer verwilderten, schattigen und wenig besuchten Landschaft entlang des Yom-Flusses zahlreiche, teilweise gut erhaltene Sakralbauten, die während des 13.–15. Jhs. in den beiden historischen „Vorstädten" von Thailands erster Metropole Sukhothai errichtet wurden.

Die drei wichtigsten Tempel sollten Sie unbedingt sehen: Eine wuchtige Lateritmauer umgibt **Wat Mahathat,** dessen zentraler Prang aus dem 15. Jh. eindeutig ein kambodschanisches Vorbild hat. Zu beiden Seiten wird er von den Resten zweier Viharns flankiert. Im vorderen steht, fast unscheinbar neben einem monumentalen sitzenden Buddha, das Original eines vielkopierten schreitenden Buddhas, der als Vollendung des Sokhothai-Stiles anzusehen ist. Gleich neben dem Wat führt eine lange schwankende Hängebrücke über den Yom.

Im Elephant Conservation Center

Wat Chang Lom wurde im 13. Jh. unter Ramkhamhaeng als Stadtzentrum Si Satchanalais errichtet. Ein runder Chedi steht auf einer abgestuften qudratischen Basis. In einer Nischenreihe rund um die obere Terrasse sitzen Buddhafiguren, während der untere Teil von Elefantenskulpturen getragen zu werden scheint.

Eine gute Aussicht über den Gesamtkomplex erhalten Sie von **Wat Khao Phanom Phloeng**, das zwischen Bäumen versteckt von einem Hügel hinter Wat Chang Lom hervorlugt. Ein sitzender Buddha, ein Chedi sowie die tragenden Säulen eines eingestürzten Viharn sind erhalten.

Wat Phra That Lampang

Entlang des Yom entstand ursprünglich die berühmte Seladon-Keramik, nördlich der Tempelanlagen wurden während der letzten Jahre mehrere **Brennöfen** (Kilns) sowie Unmengen alter Fehlbrände freigelegt. Teilweise wurden über den Fundstellen kleine Museen errichtet. Die Ausgrabungstellen vermitteln das Gefühl, als seien die Töpfer einfach nur zur Mittagspause verschwunden. Etliche Stände bieten neben Kopien vereinzelt auch Originale an, doch die Unterscheidung ist schwierig.

Brennöfen (Si Satchanalai)

Tipp Um späterem Zeitverlust vorzubeugen, lösen Sie am besten eine Sammelkarte, die für alle Monumente und Museen der Region gilt. Sie

4
Seite 82

erhalten am Haupttor außerdem einen Lageplan und können Fahrräder mieten. Übernachten sollten Sie jedoch besser in New Sukhothai.

*** Sukhothai

Zahlreiche Überreste von Thailands erster Hauptstadt findet man im *** **Sukhothai Historical Park.** Er umfasst die alte Stadtmitte Sukhothais (Meuang Kao), 9 km außerhalb des heutigen New Sukhothai. Kunsthistorisch gewiss bedeutender als Si Satchanalai und ebenfalls Weltkulturerbe, fällt die Anlage etwas nüchtern aus. Breite, weit geschwungene Straßen ziehen sich durch Zierrasen und rauben den Monumenten viel von ihrem eigentlichen Zauber. Am Haupteingang erhalten Sie Fahrräder und exakte Pläne, die man wegen der Größe des Parks auch braucht.

4

Seite 82

Das **Sukhothai National Museum** (🕓 tgl. 8.30–16.30 Uhr) stellt einige exquisite Buddhastatuen aus, die Ihnen vor Ihrer Rundfahrt einen guten Überblick vermitteln.

Drei Wälle umgeben vier Teiche sowie 21 Monumente, weitere 50 liegen im näheren Umkreis. **Wat Mahathat** bildete vermutlich das religiöse Zentrum der untergegangenen Metropole. Eine quadratische Mauer von 200 m Kantenlänge umgibt die Ruinen von fast 200 Chedis. In den Trümmern der Viharn stehen noch einige der Original-Buddhas.

Die drei Prangs von **Wat Si Sawai** im typischen Khmer-Stil, vermutlich im 12. Jh. entstanden, legen stilles Zeugnis der früheren Herrscher ab – archäologische Funde belegen, dass der Tempel vor Eintreffen der Thais als hinduistisches Heiligtum gedient haben muss.

Das Zentrum des von den Khmer regierten Sukhothai befand sich vermutlich bei **Wat Phra Phai Luang.** Besonders ungewöhnlich ist **Wat Si Chum:** Ein trutzig-massiver Mondop umgibt eine hochverehrte Buddhastatue, die

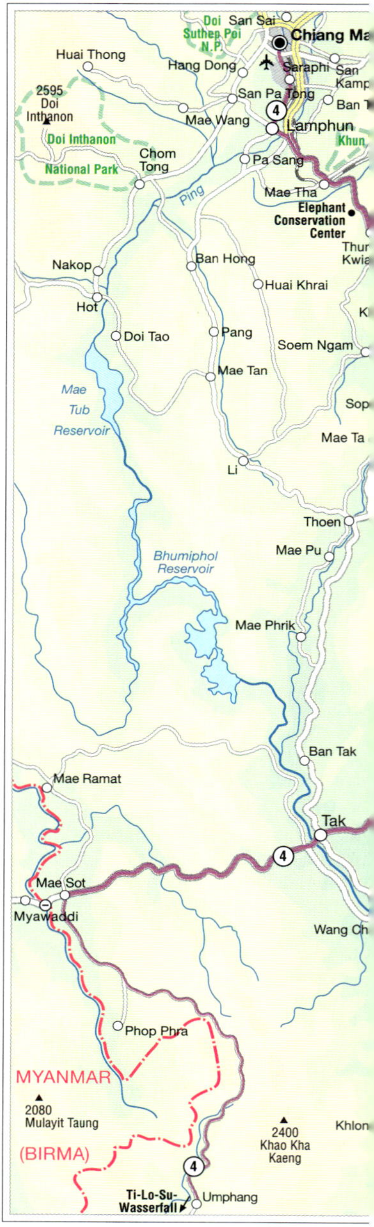

Nan
Wat Phra That Chae Haeng
1396 Doi Luang
Pan Nua
Ngao
Chae Hom
Sop Hok
Pha Thai
Huai
Phae
Pang La
Tha Si
Cham Kha
Lampang
Mae Tha
Nam Pua
Mae Charim
Wiang Sa
Ban Pa Daeng
Pang Mon
Chom Pu
Nam Muap
Song
Nang Khui
Huai Kast
Rong Kwang
Yom
Nong Muang Khai
Na Noi
Sao Din
Sao Din
Huai Lat
Na Mun
Phrae
Bau Thung Hong
Doi Phak Long N.P.
Lang
Sung Men
Nan
Ban Khok
Khang Ta Na
Sirikit Reservoir
Fak Tha
Sok Yai N.P.
Den Chai
Wang Chin
Tha Pla
Ban Phak Pat
Nam Pat
Mayom
LAOS
Mae Hu
Uttaradit
Dan
Huan Kan Luang
Bo Muang Nai
Si Satchanalai N.P.
Si Satchanalai
Thong Saen Khan
Na Haeo
Nong Nae
Tron
Sawan-khalok
Huai Tha Nuat
Dan Sai
Phichai
Chat Trakan
Nam Tok Chat Trakan N.P.
Pong Chi
Si Samrong
Nong Mekhang
Nakhon Thai
Ban Dan Lan Hoi
Wat Bot
Sukhothai
Ramkhamhaeng N.P.
Kong Krailat
Pla Duk
Yaeng
Wang Thong
Kaeng-Sopha-Wasserfall
Khiri Mat
Phitsanulok
Thung Salaeng Luang N.P.
Bang Rakam
Khao Kho
Thran Kratai
Ping
Bang Kratum
Noen Maprang
Tha Phon
Lan Krabu
Kamphaeng Phet
Sam Ngam
Sak Lek
Sai Ngam
Phichit
Wang Sai Phun
Phetchabun
Chok
Nong Khla
Khon
Wang Fa Pha
Hua Na
Taphan Hin
Khlong Khlung
Nong Yang
ROUTEN 4 UND 5
Pho Thale
Khanuworalakburi
0
50 km
Huay Kha Kaeng Wildlife Reserve
Bang Mun Nak

durch den Einlassspalt ins Freie lugt und förmlich aus den sie umgebenden Wänden herauszuwachsen scheint.

Wang Neua (Northern Palace), ☎ 055/611 193. Nettes, kleines Haus mit Pool. Ⓢ

Dream Cafe, gegenüber dem Wang Neua. Bezaubernde Kombination aus Restaurant, Bar und Museum mit hervorragendem Essen, entzückendem Service sowie einer Auswahl traditioneller Kräuterschnäpse (Lao Ya Dong). ⓈⓈ

Mae Sot

4

Seite 82

Hier erreichen Sie nicht nur die birmanische Grenze, sondern auch eine der interessantesten Inseln thailändischer Gegenwartskultur. Bis heute wird hier fleißig geschmuggelt, was der kleinen Stadt ein eigenständiges, fast exterritoriales Gepräge verleiht. Waffenschieber und Guerillachefs bestimmen zwar nicht mehr das Bild, aber der auf der Hauptstraße teilweise unter freiem Himmel florierende * **Edelsteinmarkt** (Mo–Sa) dominiert das soziale Gefüge ebenso wie eine bemerkenswerte Bevölkerung aus Indern, Bergstämmen und Birmaflüchtlingen. Tourismus ist hier relativ neu, ein paar Kilometer außerhalb am Grenzfluss Moei hat sich ein **Souvenir-** und **Möbelmarkt** etabliert, der vor allem thailändische Besucher aus Bangkok vermehrt anzieht.

Der Markt findet eine spannende Verlängerung jenseits der Brücke im birmanischen **Myawaddi.** Ohne Probleme erhalten Sie Erlaubnis für einen Tagesbesuch. Über lokale Agenturen können Sie außerdem Ausflüge ins Umland des birmanischen Marktflecken buchen.

Central Mae Sot Hill, ☎ 055/532 601. Modernes Komforthotel mit Pool und Disko am Stadtrand. ⓈⓈ

Siam, ☎ 055/531 376. Einstmals erstes Haus am Platze, heute ziemlich heruntergekommen, aber immer noch sauber. Direkt am Edelsteinmarkt. Ⓢ

Mae Sot ist auf Straßenküche ausgelegt. Neben dem Nachtmarkt lohnt sich besonders ein Bummel durch die Gassen des birmanischen Viertels, wo zahlreiche Stände „Grenzküche" feilbieten.

Lucky. Der Nachtklub hat Zeiten erlebt, da das Maschinengewehr noch auf die Tanzfläche durfte. An besseren Tagen geht es auch heute noch heiß her, aber ohne Kugelhagel.

Umphang

Von Mae Sot aus zieht sich eine wunderschöne, 170 km lange Strecke an vielen Bergstammdörfern vorbei in die ehemalige Guerillahochburg. Heute dient Umphang als muntere Basis für Thailands schönste Dschungeltrips. Auch dies eine Domäne des Binnentourismus, hier wird es vor allem zum Wochenende voll. Findige Geschäftsleute haben dem Ort ein gewisses, bei Thais sehr beliebtes Country-&-Western-Gepräge verliehen.

Zu sehen gibt es nicht viel, buchen Sie also gleich für den nächsten Morgen den erstbesten Ausflug ab einem der zahlreichen, saisonweise operierenden Gästehäuser, die alle gut sind. Neben relativ seriösem Elefantenreiten mit Tieren und Mahouts der Karen gibt es hochattraktive Schlauchbootfahrten, die fast alle die hohen, vielstufigen Fälle von ** **Thi Lo Su** zum Ziel haben. Mit Kondition und einem zuverlässigen Guide können Sie durch Thailands größte Tierschutzreservate **Huay Kha Kaeng** und **Thung Yai Naresuan** bis nach Westthailand wandern, müssen allerdings gut eine Woche strammen Marsches sowie Übernachtung im Dschungel auf sich nehmen.

Um Phang House, ☎ 055/561 073. Solide Hütten mit Warmwasser und Ventilator. Ⓢ

Wat Mahathat (Sukhothai)

Route 5

Altes Siam und echte Urwälder

**Phrae – Nan – Phitsanulok

Diese Tour führt Sie in spannende Regionen, die unbegreiflicherweise kaum Fremdenverkehr erleben. Die Stadt Phrae verkörpert das alte Siam wie kein anderer Ort im Lande, Nan an der laotischen Grenze ist Basis guter Trekkings, Phitsanulok am Ende der Route Sprungbrett zu einem der letzten echten Urwaldgebiete Thailands. Wenn Sie einige Abstriche in Kauf nehmen, können Sie öffentliche Verkehrsmittel benutzen. Veranschlagen Sie 4 bis 10 Tage.

5

Seite 82

**Phrae

Einen Vorgeschmack erhalten Sie bereits bei der Anreise: **Talad Hua Dong** im Distrikt Sung Men hat sich auf Teakschnitzereien spezialisiert. Wenige Kilometer weiter erreichen Sie dann Thailands Zentrum der Teakwirtschaft. Eine unbewiesene Zahl behauptet 892 als Gründungsjahr Phraes. Wahrscheinlich ist sie jünger, aber dennoch gewiss eine der ältesten Städte des Landes und in jedem Fall die mit der besterhaltenen Bausubstanz. Ein erdbedeckter Ziegelwall umgibt fast die gesamte Altstadt, deren Häuser tatsächlich noch zum großen Teil aus Teak bestehen. Jedes einzelne steht in Architektur wie Verzierungen für eine untergegangene Epoche, die sich nirgendwo sonst in Thailand hat erhalten können. Ein Spaziergang durch die Gassen mutet wie eine Tour durch ein großes Freilichtmuseum an.

Souvenir

Etwas außerhalb von **Ban Thung Hong** wird Thailands typische Bauerntracht aus indigogefärbter Baumwolle, dem *maw-hom-Stoff*, produziert. Asiens Vorwegnahme der Jeans Mode gibt stets ein gutes Mitbringsel ab.

Ban Pratupjai wurde aus alten Häusern zusammengesetzt und steht auf etwa 3000 Jahre alten Teakstämmen. **Ban Vongburi** ist der Paradefall eines hölzernen Repäsentationsbaues aus der Jahrhundertwende. Überreste des ursprünglichen Stadttores wurden in die Außenmauer von **Wat Luang** integriert, dessen oktagonaler, goldbedeckter Chedi auf quadratischer Basis für klassischen Lanna-Stil steht.

Die Innenstadt birgt mehrere sehr schöne Tempel, doch die beiden besten sind außerhalb des Walles. **Wat Jom Sawan** wurde um die Jahrhundertwende in shan-birmanischem Stil ganz aus Teak gebaut. ***Wat Phra That Chaw Hae**, 9 km außerhalb, zählt zu den berühmtesten Tempeln des Nordens. Sein Hauptbuddha soll Fruchtbarkeit bescheren, in jedem Fall beeindrucken sein vergoldeter Chedi ebenso wie der mit Spiegelmosaiken im Lotosblütenmotiv übersäte Viharn.

Maeyom Palace Hotel, ☎ 054/522 906. Provinzhotel mit Pool und zwei Restaurants. $

Bobbies House, Meuang Hit Rd. Gemütliche Folk-Kneipe mit Livemusik und guter Thai-Küche. $
Ansonsten könnten Sie auf dem kleinen, aber netten **Nachtmarkt** speisen.

Nan

Eingekesselt zwischen hohen Bergen und abseits des Weltgeschehens, konnte die Stadt tatsächlich bis 1931 ihre Unabhängigkeit als Lanna-Fürstentum bewahren. Das **National Museum** (🕓 Mi–So 9–16 Uhr), eines der besten Thailands, siedelt im ehemaligen Fürstenpalast. Neben der obligaten Sammlung von Kunst der Region stellt es vor allem eine gute Kollektion von Handarbeiten der Bergstämme aus. Nan liegt im Mittelpunkt eines landschaftlich reizvollen Stammesgebietes, das von Lue, Hmong, Mien, Htin, Khamu und Mlabri bewohnt wird. Einige dieser Völker findet man anderswo in Thailand nicht, insofern eignet sich die Stadt ideal als Ausgangspunkt für Trekkings.

Und natürlich kann man schöne Tempel besichtigen. **Wat Phumin** geht auf das Jahr 1596 zurück. Der Bot hat einen sehr ungewöhnlichen, kreuzförmigen Grundriss, der im Innern eine Entsprechung in einem Altar mit vier Buddhastatuen findet. Fresken zeichnen Szenen des Alltags im früheren Nan nach. **Wat Phra That Chang Kham** zieren ebenfalls kunstvolle Fresken sowie ein großer Hauptbuddha. Es wurde im 15. Jh. restauriert, muss aber erheblich älter sein. Beide Anlagen stehen direkt am Museum.

Wat Phra That Chae Haeng, das wichtigste Heiligtum der Stadt, erhebt sich auf einem Hügel etwas außerhalb. Der 56 m hohe, vergoldete Chedi entstand 1355.

Thevarat, ☎ 054/710 094. Ruhiges Provinzhotel rund um einen kitschigen Innenhof. $

Nan Fah, ☎ 054/710 284. Schönes Teakhaus, beliebt und daher weniger ruhig. $

Tipp Beide Hotels liegen nebeneinander in der Sumonthevarat Rd. In dieser Straße finden Sie auch einige Shops mit Handarbeiten der Lue sowie **Phu Travel.** Der chinesische Eigentümer veranstaltet komfortable, gute Trecks durch die Provinz, die auf Wunsch auch Manufakturen, Rafting und Elefantenreiten mit einschließen (☎ 054/710 636).

Nachtmarkt in Phrae

Das Erosionstal von Sao Din

Wat Phra Si Ratana Mahathat

5

Seite 82

Suan Isan, nahe der Hotels. Serviert tadellose Lao-Küche. (\$)

Dadario, Rat Amnuay Rd. Wird von einem Schweizer geleitet und hat sich auf italienische Küche spezialisiert. (\$)

Der lange Weg nach Phitsanulok

Ohne eigenes Fahrzeug lautet Ihre nächste Etappe Phitsanulok (s. u.), das Sie von Nan per Bus oder besser per Flugzeug erreichen. Wenn Sie selbst ein Fahrzeug steuern, steht Ihnen ein langer Tag bevor, und Sie müssen früh aufstehen. Über knapp 400 km zieht sich ein Netz kaum befahrener Nebenstraßen entlang der laotischen Grenze nach Süden. Die Strecke ist landschaftlich sehr reizvoll, sie werden jedoch wegen vieler Abzweige eine Straßenkarte benötigen.

Abseits vom H 1026, etwa 30 km von Nan, entstand in einer merkwürdigen Laune der Natur das Erosionstal **Sao Din** mit kahlen, bizarren Gesteinsformationen.

5

Seite 82

Etwa 50 km weiter, abseits des H 1047, liegt der kleine **Sok-Yai-Nationalpark** mit dem angeblich dicksten Teakstamm der Welt – knapp 10 m Umfang, aber nach Blitzschlag ohne Krone.

Nationalpark *Thung Salaeng Luang

Am H 12 erreichen Sie schließlich den Nationalpark, bis in die 80er Jahre Hauptquartier einer kommunistischen Widerstandsbewegung. Heute zieht sich von hier eine Kette von Nationalparks bis tief in Thailands Nordosten, die auch einen letzten Rest erhaltener Urwälder umschließt. In den 1200 km² Thung Salaengs verbergen sich drei Savannen (thung = Wiese) mit hohem Elefantengras, die für ihren Blumen- und Vogelbestand berühmt sind. Der dreistufige **Kaeng-Sopha-Wasserfall** zählt zu den schönsten Thailands. Auf dem Berg **Khao Khaw** fand die letzte Schlacht gegen die Kommunisten statt, neben großartiger Aussicht gibt es noch originale Schützengräben, ein Militärmuseum sowie ein Monument zum Gedenken an die Gefallenen, darunter viele Hmong und Lisu.

Tipp Sie können (und sollten) in den Bungalows des Parkhauptquartiers nächtigen. Dort werden Sie auch verpflegt und erhalten Karten. Für eine genauere Erkundigung des Parkes werden Sie Guides und Zelte benötigen, die der Park auf Wunsch stellt.

Phitsanulok

Auch die zweitgrößte Stadt Nordthailands erhält weiterhin nur wenig Aufmerksamkeit vom internationalen Massentourismus. Ein schwerer Brand in den 50er Jahren zerstörte den historischen Stadtkern, doch was nunmehr an Attraktionen fehlt, macht der elegant entlang dem Nan-Fluss hingestreckte Ort durch Atmosphäre wett.

Vom Feuer verschont blieb glücklicherweise ****Wat Phra Si Ratana Mahathat,** Nordthailands wichtigster Tempel und eines der wenigen, tadellos erhaltenen Zeugnisse früher Ayutthaya-Sakralbauten. Der Hauptviharn, reich verziert und in einer üppigen Farbkombination aus Schwarz-Rot-Gold, besticht durch eine faszinierende Konstruktion der Dachträger. Sie zwingen den Blick förmlich durch den ungewöhnlich flachen Raum zur Rückwand, wo *Phra Chinarat* thront, die berühmteste Statue der Sukhothai-Periode. In ihrer Bedeutung fast dem Smaragdbuddha gleich, doch ungleich größer und schöner, zieht die vergoldete Bronze mit dem Flammenkranz täglich Tausende von Pilgern an. Sie und die zahlreichen Devotionalienstände verleihen dem Tempelgelände einen zeitgeistigen Reiz, der dem kunsthistorischen Wert der Anlage durchaus gleichkommt.

Bei Soppong

Verschwundene Fertigkeiten

Das privat betriebene * **Folklore Museum** (Wisut Kasat Rd.; tgl. 8.30 bis 16.30 Uhr, Mo geschl.) enthält Thailands umfangreichste Sammlung traditioneller Gebrauchsgegenstände, darunter so interessante Objekte wie Mausefallen oder Vogelpfeifen.

Tipp Schräg gegenüber des Museums können Sie eine Buddhafigurengießerei besichtigen, deren Hauptprodukt – wie könnte es anders sein – Miniaturausgaben des Chinarat sind.

i Die TAT (☎ 055/252 742) ist reichlich mit Informationsmaterial ausgestattet und hilft auch, wenn Sie einen Trip zu den Nationalparks vorhaben.

Topland, ☎ 055/247 800. Fast schon ein Luxustower. Gemessen am Komfort lächerlich billig. $
Rajapreuk, ☎ 055/258 788. Scheußlich groß und fast immer leer, aber mit Pool und insgesamt sehr preiswert. $

5

Seite 82

Die Hotelküche bietet im Vergleich zur Straße wenig. Zu einem speziellen Spektakel hat sich die Garküche **Flying Vegetable** am Nachtmarkt am Flussufer entwickelt ($). Der Koch schleudert das pfannengerührte Gemüse zum Abkühlen gut 10 m weit, bis es von virtuosen Kellnern präzise mit dem Teller aufgefangen wird. Vor allem ausländische Gäste lädt man gerne ein, sich ebenfalls an dieser Servierkunst zu versuchen: es geht meist daneben.

Picasso, Disco Pub mit Liveband im Topland Hotel, ist Phitsanuloks erste Adresse für Nightlife.

Tipp Auf dem Fluss ankern mehrere, sehr gute Hausbootrestaurants, an den Lichterketten leicht zu erkennen. Eines davon, **Fa Thai** ($) organisiert allabendlich preiswerte Diner Cruises auf dem Nan.

Praktische Hinweise von A–Z

Ärztliche Versorgung

In allen Provinzhauptstädten und größeren Distrikten gibt es niedergelassene Ärzte, Zahnärzte und Krankenhäuser. Irgendjemand wird Englisch sprechen, und man ist touristenüblichen Leiden (Schürfwunden, Durchfällen ect.) vollauf gewachsen. Kleinere Orte verfügen meist über eine Sanitätsstation *(Sathanee Anamai)*, die in Notfällen hilft. Wenn Sie über in Thailand seltene Wohlstandsleiden (z. B. übergewichtsbedingte Kreislaufschwäche), oder komplizierte chronische Erkrankungen (z. B. Bandscheibendefekte) leiden, sollten Sie sich größere Touren reiflich überlegen und vorher ihren Hausarzt konsultieren.

Es gibt keine Verschreibungspflicht, die wichtigsten Präparate auch internationaler Firmen sind in den Apotheken der Provinzhauptstädte meist erhältlich.

Ausrüstung und Gepäck

Wenn Sie durch die Berge wandern wollen, werden Sie den Rucksack einem Koffer vorziehen. Während des Winters vor allem die warme Jacke nicht vergessen; dann werden Sie auch einen eigenen Schlafsack den vor Ort immer erhältlichen, aber manchmal recht muffigen Decken bevorzugen. Unbedingt zu empfehlen ist grundsätzlich ein Paar fester Schuhe, das nass werden darf oder leicht an- und ausgezogen werden kann, da Sie mit häufiger Durchquerung kleiner Wasserläufe zu rechnen haben. Packen Sie außerdem Kopfbedeckung, Sonnenbrille, Taschenlampe, Taschenmesser, Sonnenschutzmittel mit hohem Lichtschutzfaktor, Tagesrucksack sowie Brustbeutel bzw. Bauchtasche ein.

Wenn Sie raften wollen, bringen Sie wasserfeste Verpackung für Ihre Ausrüstung mit. Wünschenswert ferner und vor Ort preiswert zu erwerben: Mückenschutz *(ya kan yung)*, Moskitonetz *(mung)*, Hängematte *(bae)* und wasserdichte Plane *(pha kan fon)*. Gegen das enervierende Geplärre der Thai-Videos in Überlandbussen hilft neben Ohropax nur ein eigener Walkman. Batterien, auch seltene Typen für Kameras, erhalten Sie preisgünstig vor Ort. Wahrscheinlich werden Sie sich freuen, wenn Sie einen Feldstecher eingepackt haben, einen Kompass allerdings brauchen Sie nicht.

Drogerieartikel erhalten Sie in beinahe jedem Dorf, Gleiches gilt für Verbandszeug und grundlegende Medikamente gegen Kopfschmerz, Durchfall etc. Größere Orte führen auch Kontaktlinsenmittel.

Alle Hotels und fast alle Guest Houses betreiben einen Wasch- und Bügelservice, der allerdings nicht immer über Nacht funktioniert.

Devisenbestimmungen

Sämtliche Zahlungsmittel dürfen unbeschränkt eingeführt, müssen aber ab einem Wert über 10 000 US-$ deklariert werden. Landeswährung bis 20 000 Baht darf ausgeführt werden, sonstige Währungen unterliegen keiner Beschränkung.

Diplomatische Vertretungen

Thailändische Vertretungen in Europa:
Botschaft, 12163 Berlin, Lepsiusstr. 64–66, 0 30/7 91 22 66, 7 91 22 29. Konsulate, die auch Visa ausstellen, gibt es in Frankfurt/M. (0 69/2 01 10), Hamburg (0 40/24 83 91 18) und München (0 89/1 68 97 88).
Botschaft, 1180 Wien, Weimarerstr. 68, 01/47 82 79 70, 4 78 29 07.
Konsulate in Salzburg (06 62/64 65 66–0), Innsbruck (05 12/58 04 61) und Dornbirn (0 55 72/25 61 46).
Botschaft, 3097 Bern, Kirchstr. 56, 0 31/9 70 30 30, 9 70 30 35.
Konsulate in Basel (0 61/2 71 68 67), Genf (0 22/3 19 87 00) und Zürich (01/2 21 70 60).

Europäische Botschaften in Bangkok:
Deutschland: 9 Sathorn Tai Rd., Tel. 02/287 9000, 287 1776.
Österreich: 14 Soi Nantha, Sathorn Tai Rd., 02/287 3970, 253 3567.
Schweiz: 35 Witthayu Rd., 02/253 0156, 253 8160.

Für die Weiterreise:

Kambodscha, Singapur, Indonesien, Malaysia und die Philipinen erfordern kein Visa. Visa für Laos und Vietnam lassen Sie besser durch Reisebüros besorgen.
Myanmar (Birma), 132 Sathorn Neua Rd., 02/233 2238.
China, 57 Ratchadaphisek Rd., 02/245 70 32 (Konsulat, 111 Changlo Rd., Chiang Mai, 053/276 125.

Ein- und Ausreise

Deutsche, Österreicher und Schweizer erhalten bei Einreise einen Monat Aufenthaltserlaubnis. Theoretisch müssen sie einen Rück- oder Weiterflug vorweisen können, was in der Praxis zwar nicht von den Thais, aber von einigen Fluggesellschaften kontrolliert wird. Verlängerung des Monats ist gegen Gebühr und bei Begründung bei jeder Immigration erhältlich, Überziehung kostet 200 Baht/Tag. Bei Aus- und Wiedereinreise (in Mae Sai z. B. in 5 Minuten möglich) erhalten Sie einen weiteren Monat. Unter diesen Bedingungen lohnen Aufwand und Kosten für ein zwei Monate geltendes Touristenvisum nur selten.

Elektrizität

220 V Wechselstrom, unsere Stecker passen fast immer.

Flughafengebühren und Rückbestätigung

Bei Abflug ins Ausland 500 Baht, bei Inlandflügen 30 Baht.

Bei einigen Fluggesellschaften müssen Sie spätestens 72 Stunden vor Rückflug Ihre Buchung bestätigen lassen – lassen Sie sich in diesem Fall unbedingt den sog. *reconfirmation code* geben.

Fotografieren

Thais sind Fotoenthusiasten und haben mit dieser Leidenschaft auch die Bergstämme angesteckt. Dennoch gilt bei Portraits u. Ä.: Vorher um Erlaubnis fragen!

Mitglieder der Königsfamilie, denen Sie bei öffentlichen Auftritten durchaus begegnen können, dürfen auf keinen Fall abgelichtet werden. Ein jeweils ausgeschildertes Fotoverbot existiert ferner in königlichen Palasträumen oder Residenzen, bestimmten Sakralbauten und Militäranlagen. Filme sind in Thailand fast überall erhältlich, aber teurer als bei uns (Entwicklungen jedoch oft billiger).

Geld, Währung, Umtausch

Nach jahrelanger Stabilität verlor die Landeswährung, der Baht, bei einer schweren Wirtschafts- und Finanzkrise 1998 innerhalb kurzer Zeit die Hälfte seines Wertes. Seitdem hat sich der Baht zwar wieder erholt, fraglich bleibt aber seine weitere Stabilität im Zeichen einer allgemeinen Krise Asiens.

Der Umtausch bei Banken, Wechselstuben und großen Hotels klappt reibungslos, manche Bankschalter haben in Touristenzentren oft auch am Wochenende und bis in die Nacht geöffnet. Sie geben außerdem die besten Kurse. Da für Bargeld stets eine niedrigere Rate gilt, sind Sie mit Reiseschecks oder eventuell Kreditkarten wahrscheinlich besser bedient. Mit Kreditkarten (Visa, Amex, Euro, Diners) können Sie landesweit in allen Provinzhauptstädten rund um die Uhr vom Automaten abheben, wenn Sie Ihren Pin-Code kennen. Die Thai Farmers Bank akzeptiert außerdem Euroschecks.

Gesundheitsvorsorge

Die allseits gefürchteten Tropenkrankheiten sind in Thailand so selten, dass Sie sich grundsätzlich keine Sorgen zu machen und auch keine besonderen Vorkehrungen zu treffen brauchen. Einzige Ausnahme: Dörfer und Wälder entlang der birmanischen und laotischen Grenze sind teilweise noch immer mit einer besonders gefährlichen Form der Malaria (Malaria tropicana) durchseucht. Einige dieser Regionen sind auch Bestandteil der Routen dieses Bandes, wenn Sie trecken, raften oder Grenzorte besuchen wollen, sollten Sie Malariaprophylaxe nach Angabe des Arztes betreiben.

Die Malaria wird durch den Stich der Anopheles-Mücke übertragen, die hauptsächlich in der Dämmerung aktiv ist. Am besten ist daher grundsätzlich, sich nicht stechen zu lassen: Kleidung tragen, die Hand- und Fußgelenke bedeckt, unter dem Moskitonetz schlafen und die in Thailand überall erhältlichen Mückenschutzmittel *(ya kan yung)* benutzen. Bei Temperaturen unter 20 °C wird es der Mücke zu kalt und Sie sind sicher, aber wer will schon ständig aufs Thermometer schauen?

Trotz aller Vorsicht und medikamentösem Schutz können Sie infiziert werden. Klassische Symptome sind Schüttelfrost, gefolgt von einem Fieberschub, danach schwere Schweißausbrüche und tiefer Schlaf, nach dem sich der Kranke wieder völlig fit fühlt. Ein bis zwei Tage später erfolgt der nächste Anfall, der schwerer verläuft, und schon nach kurzer Zeit kann der Tod eintreten. Die Symptome verlaufen nicht immer typisch und können auch das Gewand einer schweren Grippe tragen. Suchen Sie also beim ersten Anzeichen unverzüglich den nächsten Arzt oder die nächste Sanitätsstation auf! Man ist vor Ort auf Malariadiagnose spezialisiert, ein Tropfen Blut aus Ihrem Finger, ein Blick durchs Mikroskop, wenige Minuten später und für wenige Baht gibt es eine Diagnose, die am sichersten ausfällt, während das Fieber gerade steigt. Die medikamentöse Therapie ist undramatisch, Sie brauchen dafür nicht einmal Ihren Urlaub unterbrechen. Voraussetzung allerdings: Sie waren rechtzeitig zur Untersuchung!

Häufige, aber meist nur leichte Probleme schaffen Durchfälle. Möglichst kein unabgekochtes Wasser trinken, kein ungeschältes oder ungewaschenes Obst oder Gemüse verzehren. Im Fall des Falles helfen Elektrolyte gut, die Sie am besten von zu Hause mitnehmen.

Die restlichen Maßnahmen sind aus unseren Breiten bekannt: Man sollte gegen Tetanus, Kinderlähmung und vielleicht auch gegen Hepatitis geimpft sein und bei Kurzzeitromanzen Kondome benutzen.

Information

Vor Ihrer Reise informiert Sie das Thailändische Fremdenverkehrsamt, Bethmannstr. 58, 60311 Frankfurt/M., ☏ 0 69/1 38 13 90, FAX 28 14 68.

In Thailand bemüht sich eine landesweite Hotline unter 11 55 ebenso wie die TAT (Tourismusbehörde), deren Büros Sie in Chiang Mai, Chiang Rai und Phitsanulok finden. Gute Informationsquellen sind Hotel- oder Gästehausmanager, vielleicht der Polizist an der Ecke oder auch der Kellner.

Die englischen Tageszeitungen *Nation* und *Bangkok Post* sind gut, aber in ihrem touristisch relevanten Teil sehr auf Bangkok konzentriert.

Krankenversicherung

Unbedingt empfehlenswert ist der Abschluss einer Auslandsreisekrankenversicherung, die einen medizinisch notwendigen Rücktransport einschließen sollte.

Kriminalität

Gewalttaten an Touristen sind erfreulich selten. Dennoch gilt: Locken Sie keine Diebe durch unvorsichtiges Verhalten an, das Sie zu Hause auch nicht praktizieren. Als zusätzliche Maßnahme sollten Sie Kreditkarten immer bei sich behalten und auch nicht für Bagatellgeschäfte aus der Hand geben.

Wirklich gefährlich sind nächtliche Alleingänge direkt an der Grenze zu Birma und Laos (von illegalen oder irrtümlichen Grenzübertritten ganz zu schweigen), da dort operierende Gangster schwer bewaffnet sind und in rechtsfreie Räume entfliehen können. Tagsüber sind Sie in Grenznähe dank Einheiten von Armee und Grenzschutz jedoch sicher. Wo ein Risiko besteht, werden sofort Straßensperren errichtet, die Sie dann auch respektieren sollten. Wenn Sie beim Trecken in Grenznähe in Schwierigkeiten geraten oder ein mulmiges Gefühl bekommen, scheuen Sie sich nicht, bei der Armee, der Forstbehörde oder dem Grenzschutz (in dieser Reihenfolge!) Schutz zu suchen.

Häufig, aber nicht strafbar, sind Übervorteilungen, die durch Naivität, Geldgier und Selbstüberschätzung begünstigt werden. Dazu zählt sowohl der „80-%-Rabatt“ auf „Antiquitäten“ als auch die „Garantie“, Sie würden einen Rubin in der Heimat sofort Gewinn bringend weiterveräußern können.

Ein anderes weit verbreitetes Problem sind Schlepper. Wenn jemand Sie vom Bahnhof in Chiang Mai gratis zu einem angeblich besonders angenehmen und preiswerten Guest House bringen möchte, mag das ein völlig reelles Angebot sein (das Haus ist neu, steht noch in keinem Reiseführer und schickt deshalb einen Boy zu jedem Zug). Wenn aber der Tuk-Tuk-Fahrer sofort weiß, das von Ihnen angegebene Fahrziel sei schmutzig, ausgebucht, abgebrannt, überteuert oder nicht existent, dürfen Sie ruhig misstrauisch werden. Stellt sich später heraus, dass der Mann Recht hatte, folgen Sie seiner Empfehlung und trösten ihn mit einem Trinkgeld.

Die Tourist Police trägt spezielle Uniformen, ist in den Städten vorrangig für Sie zuständig und spricht englisch.

Littering

Das englische Wort für Verunreinigen öffentlicher Anlagen finden Sie auf zahlreichen Hinweisschildern – Bußgelder bis zu 2000 Baht werden angedroht.

Grundsätzlich kann selbst das Wegschnippen einer Zigarettenkippe auf offener Straße mit Bußgeld belegt werden, das manchmal tatsächlich verhängt wird.

Öffnungszeiten

Banken: Mo–Fr 8.30–15.30 Uhr.
Behörden: Mo–Fr 8.30–12, 13–16.30 Uhr.
Post: Mo–Fr 8.30–16.30 Uhr; Sa 8–12 Uhr.
Kaufhäuser: tgl. 10–21 Uhr.
Nationalmuseen: Mi–Fr 8.30–16 Uhr, teilweise Mittagspause von 12–13 Uhr.
Einige *Supermärkte* haben rund um die Uhr geöffnet.

Souvenirs

Antiquitäten dürfen grundsätzlich nur mit Erlaubnis des Fine Arts oder Religious Affairs Department exportiert werden. In kaum einer Branche findet man mehr Märchenerzähler und raffiniertere Kopisten, am besten Sie lassen die Finger davon und kaufen das garantierte Duplikat. Wenn es denn „Echtes“ sein muss, ist die Beschaffung von Papieren (wenigstens deren Echtheit lässt sich auch gut überprüfen) jedenfalls Sache des Verkäufers.

Edelsteine kauft man am günstigsten in Mae Sot, am sichersten und teuersten in Bangkok oder Chiang Mai, am riskantesten in Mae Sai. Übervorteilungen sind erheblich häufiger als echte Betrügereien, am häufigsten jedoch noch immer seriöse Händler mit Preisen, die nur wenig unter den heimischen liegen. Also ausnahmslos kräftig handeln und Sachverstand mitbringen anstatt ihn sich vom Händler einflüstern zu lassen („Ich bewundere Ihren guten Geschmack ...“)

Zu Seide und Kunsthandwerk siehe Kapitel Kultur, Seite 20 ff.

Telefon, Fax und E-Mail

Wenn Sie ein GSM-Handy besitzen, wird es preisgünstig und automatisch funktionieren. Telefonieren und faxen können Sie am günstigsten bei der Post, für die Benutzung der Telefonzellen brauchen Sie meistens eine Telefonkarte, die in fast jedem Supermarkt erhältlich ist.

Billige Internet-Cafés und E-Mail Centers sind fast allgegenwärtig.

Trinkgeld

erwartet man überall, wo die Rechnung auf einem Tablett oder in einer Mappe serviert wird. Bangkoks Taxifahrer finden, dass man zum vollen Zehner aufrundet. Ansonsten vielleicht noch beim Bellboy, und das war's auch schon.

Zeitverschiebung

MEZ plus 6 Stunden, während der Sommerzeit plus 5 Stunden.

Zollbestimmungen

Die Einfuhr von Drogen, Waffen und Pornographie ist untersagt. Andere Gegenstände des persönlichen Bedarfes unterliegen keiner Beschränkung.

Ausfuhrverbote bestehen für Antiquitäten, Buddhafiguren und Produkte aus geschützten Tieren (Elfenbein etc.). Letztere dürfen Sie in Europa gemäß dem Washingtoner Artenschutzabkommen auch nicht einführen.

Zollfreigrenzen bei der Wiedereinreise in Deutschland, Österreich und der Schweiz: 200 Zigaretten, 1 l Hochprozentiges oder 2 l Wein, Geschenke bis 350 DM, 2500 öS bzw. 200 sfr.

Register

Orts- und Sachregister

Personenregister